JN082940

親鸞と私

親鸞と私

はじめに

本書の著者は皆、一九七〇年代に東京大学印度哲学科で、机を並べて学んだ仲間達です。時には、学科が結成した野球チームで楽しく試合をしたり、居酒屋で夜遅くまで飲んだりと、今となっては貴重な思い出がたくさんあります。

大学院を修了する頃には、我々の専門分野は多岐にわたりました。「インド仏教(下田)」「中国仏教（丘山)」「日本仏教（末木)」「華厳・唯識思想（竹村)」、及び「中国浄土教（ケネス)」とさまざまでしたが、当時は「親鸞思想」を専門とした者は誰一人としておりませんでした。ところが、その後何らかの形で皆、親鸞に惹かれていったのです。学生時代からは半世紀近くになろうとしていますが、その間、我々は親鸞についても、さまざまな角度から学び考え続けていたのです。

本書は、「親鸞と私」というテーマで、それぞれの親鸞への思いを、武蔵野大学の生涯学習講座において語り、それをまとめたものです。

今日、仏教学者の間では「長老格」という立場に置かれるようになった私たちですが、我々が抱く親鸞への魅力は衰えるどころか、更に増しているように思えます。

親鸞の魅力が、読者の皆様へ少しでも伝われば有り難く思います。

武蔵野大学名誉教授　ケネス田中

「親鸞と私」もくじ

親鸞の人間らしさ

武蔵野大学名誉教授
ケネス田中

自分を「愚」や「凡夫」と評価していた親鸞には、
親近感が感じられます。
ここでは、「親鸞の人間らしさ」について、
その魅力を探求し、出家仏教について考えてみたいと思います。

ケネス田中

カリフォルニア大学人文科学研究科博士課程卒。哲学博士。カリフォルニア大学助手、仏教大学院大学専任准教授を経て武蔵野大学教授に。現在は武蔵野大学名誉教授。仏教学、浄土教、アメリカ仏教を専門とする。アメリカ仏教の日本での第一人者。武蔵野大学仏教文化研究所前所長。国際真宗学会前会長。日本仏教心理学会会長。

親鸞の人間らしさ

ここでは、「親鸞の人間らしさ」をご説明しようと思いますが、話の内容はかなり主観的なものになると思います。

つまり、「私の意見」が中心です。もちろん歴史的な思想などはその背景にありますが、「私にとってここが親鸞の魅力です！」といった話をさせていただくつもりでおります。

まず、「親鸞はお釈迦さまよりも、多くの人間と同じ土俵に立っている」というのが私の考えです。

お釈迦さまは、仏教者である私にとっては「とても親しい人」ではありますが、「同じ土俵に立っている」というイメージはありません。

ところが親鸞には、二つの「人間らしさ」があると思うのです。

まず、「普通の人間らしさ」と、「理想の人間らしさ」です。「普通の人間らしさ」についてご説明しましょう。

英語では、「普通の人間らしさ」を「to be an ordinary human」といいますが、私は親鸞には「出家者としての人間らしさ」よりも、「在家者(ざいけ)としての人間らしさ」があると思っています。

親鸞は九歳から三五歳までの間は出家者でしたが、その後の四五年間は在家者でした。私は出家者だったときの親鸞よりも、後に在家者になってからの親鸞に魅力を感じるのです。

親鸞の有名な言葉に「非僧非俗（ひそうひぞく）」というものがあります。

「僧にあらず、俗にあらず」

私の大好きな言葉なのですが、「普通の人間らしさ」というのは、「非僧非俗」の中の「非僧」にあると思っています。

「親鸞は僧ではない」のです。

「普通の人間らしさ」

私は大学を卒業したあとに、タイ国のお寺で「出家」を体験しました。二二歳のときです。私も浄土真宗者で、若いときから親鸞の生き方に魅了されていましたから、「少しでも親鸞のような出家を体験するべきだ」と思っていたのです。ほんの二カ月間ほどでしたが、私にとっては非常に大きな経験でした。今でも私の仏教に対する理解の根底には、その二カ月間の体験が重要なベースになっていると思っています。

タイ国の多くの男性は、一時的に出家をします。出家をしないと「一人前の男」として見てもらえません。雨期の時期や学校の休みの間に、多くの若い男性が約一～二カ月の間、出家をするのです。

タイに到着後、あまりにも出家の準備に時間がかかったために、私の一カ月間のビザが切

れてしまいました。そこでビザの延長をお願いしようと入国管理局に行き、事情を説明したのですが、対応したお役人は、

「NO！　一度、タイを出てからまた入国しなさい！」

と延長を認めてくれませんでした。私はガッカリしてお寺に戻り、お世話になっていた私の先生（僧侶）にこのことを話しました。すると、

「大丈夫だよ。明日、君を出家させるから。出家したあとに、もう一度入国管理局に行きなさい」

と言われました。

翌日、私は出家をしました。その後、今度は僧侶の衣装を身にまとって、入国管理局に行きました。すると、前日と同じお役人だったにもかかわらず、何も言わずに延長の書類にハンコを押してもらうことができたのです！

このようにタイでは「僧侶」はとても尊敬されているために、いろいろと優遇をしてもらうことができます。交通費はすべてタダですし、どこに行ってもお寺に泊めてもらうことができます。

出家をしたときに記念に撮った写真があるのですが、男でも薄い化粧をして、眉毛をすべて剃ってから撮影をしたのには驚きましたね。

僧侶になった私は、毎朝「托鉢(たくはつ)」に行きました。タイの托鉢はとにかく黙々と歩き回って

お布施をいただくのですが、お布施をいただいても、「ありがとうございます」などといったお礼は絶対に言いません。

タイの僧侶たちの中には、お布施をしてくれた人に、

「私はあなたにお布施をするチャンスを与えてあげたのですよ」

そんな気持ちでいるのです。この考えには私には抵抗がありました。

タイでは仏教が国の宗教とされていて、国民の八〇%以上が仏教徒です。

私は「ワット・ボウォーンニウェート」という、バンコクにあるお寺でお世話になりました。

このお寺はタイ国の王様が出家される有名なお寺でした。

タイのような東南アジアの仏教を、「南方仏教」と呼びます。「上座部仏教」という場合もありますが、「小乗仏教」と言ってはいけません。「小乗仏教」という言い方は軽視蔑視的な意味合いになってしまいます。

「南方仏教」のご本尊は、お釈尊さまです。タイの人々の多くにとってお釈迦さまは、最近亡くなられた国王にあたりますので、とても尊敬されています。

お寺の中には、犬や猫、亀などのたくさんのいろいろな動物たちがウロウロしていました。というのも、托鉢でいただいて食べ切れない食べ物を、動物たちにも分け与えていたからです。

まさに「一切衆生悉有仏性（いっさいしゅじょうしつうぶっしょう）」です。

その様子を見ていた私は、すべての生き物がみな仏になれるような気がしました。

出家者は人間らしくない？

出家生活を経験した私は、「出家者は、普通の人間らしくない生き方をしているな」と感じました。ここで誤解しないでいただきたいのは、「私は出家者を非常に尊敬している」ということです。「出家」とは「仏教のスタンダード」であり、「理想」でもあります。仏教の土台となるのは「出家者」です。だからこそ、東南アジアでも、中国でも、ベトナムでも、尊敬されるのは出家僧侶なのです（明治以降の日本の仏教は、例外といっていいでしょう）。

出家者は、「食事の規制」「家庭と性の否定」、そして「孤独な生活」などを守ることになっています。

食事は一日に二回。それも朝から昼までの間に済ませます。昼以降は食べてはいけないのです。朝は自分で托鉢でいただいたものを食べるのですが、このときは手づかみで食べます。昼はお寺で用意してくれたものをいただいて、一日の食事は終了です。当たり前のように一日に三回の食事をとっていた私には、慣れるまでに時間がかかりました。また、少々深刻な問題なのが「家庭と性の否定」です。出家者には、「性的行為」は禁じられていて、次のような約束を唱えなくてはなりません。

Abrahmacariya veramani sikkhapadam samadiyami.

(私は性的行為に関わらないという戒律を守ります)

親鸞もこのような戒律を35歳まで守っていたのですが、流罪にあって非僧になり、還俗(僧籍を離れて俗人にかえること)しました。道元、栄西、日蓮、最澄、空海など、みんな出家者で、日本にはこの諸師が開いたいろいろな宗派がありますが、このような生き方をしたのは、唯一、親鸞だけです。

「親鸞には、比叡山から下りて法然の弟子となるまでに、二つの葛藤があった」という説があります。その葛藤は、一つは「自分がいくら努力しても悟ることができない」という葛藤であり、もう一つは「性の葛藤」でした。

私は、「性とは普通の人間らしさ」であると思います。ところが出家者にはそれが否定されているのです。

親鸞は法然という師に出会って、次のように言われたそうです。

「独身で念仏申しにくければ妻帯すべし。妻帯して申されにくければ独身にて申さるべし」

この言葉によって親鸞は、「妻帯」の決意をされたようです。

ここで「私の性の葛藤」をお話ししたいと思います。私は子どもの頃はアメリカに住んでいたのですが、一九七四年から七八年まで日本に留学をしました。当時は浄土教を勉強していたのですが、他の宗教、他の宗派のことも勉強したいと思っていました。

禅学の勉強をしていたときに、福島のお寺でとても素晴らしい禅の先生に出会い、いろいろと指導をしていただきました。

その一年後くらいでしょうか。私は結婚が決まり、電話で「先生、私、結婚することになりました」と報告をしたのですが、私はそのときの先生の言葉を忘れることができません。

「もうダメだね」

この先生にはっきりとした意図を確認したわけではないのですが、おそらく先生は、

「仏道を真摯に歩むためには結婚は妨げになる」

そう考えていたのでしょう。

出家僧侶としては当然の考えかもしれませんが、家庭を持つことを「普通の人間らしさ」として考えていた私には、ただただ驚きでしかありませんでした。

でも実は私も、一時期、「結婚」について別の意味で悩んでいたのです。

「結婚をすることで、自分の子どもがこの世の中に生まれてくる」

ということです。

仏教的に、「生まれてくる子どもは、輪廻転生の世界にいる」と考えられています。

「生老病死」の「生」です。ここでの「生」は、「生きる」という意味ではなく、「生まれる」という意味です。なぜ生まれることが苦かというと、「悟りを開くまでは輪廻転生を繰り返す」という仏教の教えからすると、生まれてくる子どもは「まだ悟ってない」ということになります。また、「生まれることによる苦」もあります。

私は現在でこそ仏教を少しだけわかるようになりましたので、

「生まれてくることが苦ではない。教えを学び、生きることによって悟りを開き、それによって救われていくのだ。どのように生きるかが重要であり、生まれること自体が問題なのではない」

と考えることができるようになりましたが、当時の私は結婚についていろいろなことを考えて、いろいろなことを悩んでいたのです。

最後に、「出家者の人間らしくないこと」としてもう一点。それは「孤独な生活」です。

出家者は、「朝のお勤め」と「夕方のお勤め」をみんなと行います。それ以外に、午後一時間ほど先生といっしょに勉強をしますから、人と会話をすることができるのですが、それ以外の時間はすべて一人です。もちろんテレビもラジオもありません。このときにはじめて私は、「孤独」というものを経験しました。

孤独を経験すると、「これまでの生活がいかに有意義であったか」ということに気がつきます。もちろん、自分から「孤独な生活」を望む人もいるかと思いますが、私にはとてもつらいものでした。

また、僧侶として「自分の感情を否定する」ということも大変なことです。「誰かと仲良くなる」「親近感を持つ」ということは好ましくないものとされていて、「感情に惑わされない」「執着を断つ」ということを求められたのですが、これもまた、人間らしさを極端に否定されているような気がしました。

出家者の戒律違反

出家をしたときの先生は、カンティパーロという方でした。イギリス人でしたが、タイ国で出家されてからずっと仏教の道を歩まれていました。ところがこの先生は、私が出家を終えた五年後に還俗(げんぞく)されました。でも私はなんとなく、そのことを予感していたのです。

この先生とは約二カ月間、いっしょにいました。理想の僧侶ならば、「感情に惑わされない」はずですから、私と別れることはなんとも思わないはずです。ところが師は、「アメリカに帰ってもがんばれよ」と、愛情を込め、名残惜しく、私のことをとても心配してくれました。

「この先生はほかの先生とは違うな。人間的な人だな」

私はそう思ったのですが、やはり先生は自分の感情に素直になりたかったのでしょう。師はその後、結婚され、オーストラリアで布教活動を続けていらっしゃるそうです。

この先生のように「自分の感情に素直になる」ということは、一種の戒律違反に当たるのかもしれません。でも、今も昔も、「出家者の戒律違反」は行われているように思います。

親鸞の時代にも、比叡山の僧侶たちが夜の街に出て、いろいろな遊びをすることがあったようですが、私が出家をしているときに、隣の部屋の六〇歳くらいの先輩に挨拶に行ったら、なんとテレビがあったのです。周囲からとても尊敬されていた先輩だったのですが、私は大きなショックを受けました。

私は約二カ月で出家を終えて、元の生活に戻りましたが、「食事の規制」「家庭と性の否定」「孤独な生活」を実践できる人は、本当に素晴らしい仏教徒であると思っています。

でもそれができない「普通の人間らしさ」を有する人間であっても、それはそれで大切なことではないかと思います。

「理想の人間らしさ」

次にご説明したいのが、親鸞の「理想の人間らしさ」です。

英語でいいますと、「to be an ideal（理想的）human」です。

「普通の人間らしさ」だけで終わってしまうと、「悟り」も、「目覚め」も、「救い」もありません。

親鸞は、「普通の人間らしさ」を持ちながら、「理想の人間らしさ」を求めたのです。そしてその求め方が、出家者としてではなく在家者として、普通の人間として求めたのです。これが「非僧非俗」というわけですが、親鸞は、普通の俗人の生活をしていたわけではありません。結婚をして家族を持っても、その環境の中で理想を持ち、仏教の教えを実現しようと努力をされたのです。

私は、「理想の人間らしさ」には、「誠実性」「主体性」「平等性」の三つがあると思っています。

誠実性について

誠実性とは、「正直である」ということです。

私は一般の日本人の性格は、非常に誠実だと思っています。例えば、電車の中で財布が落ちているのを見つけたら、普通の方は駅員さんに届けますよね？

この誠実性は、「日本人の国民性」といってもいいかもしれません。親鸞も日本人ですから、誠実性があるのは当然ですが、単なる道徳的な誠実性ではなく、より深い宗教的な誠実性が見られるのです。

『歎異抄』の第九条で、「踊躍歓喜の心」が紹介されています。『歎異抄』とは、唯円と親鸞の会話から成り立っています。学者の中には、「あまり『歎異抄』を重要視してはいけない」

と言う方もいらっしゃいますが、私は『歎異抄』はとてもおもしろくて、心が揺さぶられるような言葉がたくさん登場すると思っています。

ある日、唯円が恐る恐る親鸞に言いました。

「私は念仏を申していますが、喜びの心は薄く、天に踊り、地に踊るほどの喜びが湧いてまいりません。また急いで浄土へ参りたいと思う心が起こってこないのは、どういうわけでしょうか？」

すると親鸞は、

「私もそう思っていたのだ！ 唯円、そなたも同じだったか……！」

こんなところから、私は親鸞の誠実さを感じるのです。もし、弟子にこのようなことを言われたなら、

「なんてことを言っているのだ！ お前はまだまだ努力が足りない！」

と、自分はすべてを完璧に覚(さと)ったかのように振る舞ってもおかしくありません。ところが、

「ああ、お前もか。私もそうだよ」と隠さずに言えるところが、親鸞の誠実さを、そして師と弟子が、凡夫として平等であることを表していると思うのです。

私は高校生の頃、アメリカに住んでいたのですが、当時のアメリカの宗教家たちの中には、

「オレしか正しいものはいない！ 黙ってオレについて来い！」

と主張する者が多くいました。そして一九七〇年代には、信者を何百人も引き連れて自殺をはかった団体がありました。とてもショッキングな出来事でしたが、親鸞はこのような宗教家とはまるで違います。だからこそ、私は親鸞に惹かれていったのだと思います。

『教行信証』の中で親鸞は、「信心によって仏になることが決まっているのに（正定聚）、それさえも自分は喜べない」と告白しています。

「かなしきかな愚禿鸞、愛欲の広海に沈没し、名利の太山に迷惑して……」

愛欲というのは煩悩で、三毒の一つです。自分自身は広い煩悩の海で、沈んだり浮いたりしながら、未だに山のような名利（名声や利益）を求める心があるということを認められたのです。おそらく親鸞は、「普通の人よりも欲が深い」というわけではなかったと思いますが、とても誠実だったために、自分の小さな欲望を、とても大きなものとしてとらえていたのだと思います。

親鸞が残した『三帖和讃』の中の一つ、『正像末和讃』の中では、次のようにも語っています。

「是非しらず邪正もわからぬこのみなり」

（正しいのか正しくないのか、嘘なのか真実なのか、私には区別ができないのです）

私はこう解釈しています。

『絶対に正しい』とか、『すべての人に当てはまる』というようなものは、この世には存在しない。『是か非か』ということは、自分の限られた経験や、見解から生ずるものであって、それを他人に押しつけるようなことは、私にはできない」

つまり、「絶対的なものなど存在はしない。すべては相対的なものである」ということなのだと思います。このことを現代の問題にあてはめてみますと、アメリカと中国、北朝鮮などの問題は、それぞれが自国の都合による「絶対的な正しさ」から相手を評価し、相手を批判していることが原因だと思います。

親鸞は、自分の意見をしっかり持ちながらも、「これは相対的な意見である」という姿勢を持っていました。世界の政治家たちも、親鸞のような考えを持って、交渉をしてほしいと思っています。

主体性について

次にご説明したいのは、親鸞の「主体性」についてです。

「主体性」とは、自分の意見、自分の考えに基づいて、「正しいかどうかを自分で決めていく」

ということです。先ほどの「誠実性」と矛盾しているようですが、「正しいと信じるものをしっかりと持ちながら、そのことを絶対視はしない」というのが親鸞だったのではないかと思います。親鸞が結婚に踏み切ったのも、この主体性があったからでしょう。

当時、「僧侶の結婚」の前例も少しはあったとは思いますが、親鸞はそれまでの習慣を打ち破って、かなりの決意を持って結婚したのだと思います。

『教行信証（化身土巻）』には、

「主上臣下、法に背き、義に違し、怒りを成し、恨みを結ぶ」
（天皇やその大臣たちが、法〈仏教〉に背き、世の中の正義を違えて、理由のない怒りや怨みをもって、仏教を弾圧した）

と書かれていますが、当時、このようなことを述べるには、かなりの勇気（主体性）が必要だったと思います。

また、学術的にはいろいろな説があるのですが、親鸞は八二歳のときに、息子の善鸞を義絶（絶縁）したとされています。善鸞は、親鸞の門徒をまとめるために関東に送られたのですが、親鸞の意にそぐわない、自分勝手な間違った教えを説きはじめたことで、親鸞に義絶されました。自分の息子を義絶するなど、なかなかできることではありません。

これもまた、私は親鸞の主体性の表れであると思っています。

二〇一四年に、アメリカの Pew Research Cente という会社が、いろいろな国の幸福度を調べたことがあります。

「あなたは現在、幸せですか？」

という質問をいろいろな国の国民に聞いたのです。

このときの日本の幸福度は四三％で、この数字は先進国の中ではいちばん低い数字でした。もちろん「幸福」にはいろいろな意味がありますし、国民性によってもそのとらえ方が違うと思いますが、この四三％という値は、発展途上国の国々よりも低くかったのです。また、中国よりも、ブラジルよりも低かったのです。

「日本人はとても誠実である」と先ほど述べましたが、その半面、「日本人は主体性が弱い」ように思います。私は、「最近の日本人は、他人の目を気にしすぎるのではないか」と思っています。他人の目を気にすることで、自分らしい生き方ができない。自分のやりたいことができない。これは「主体性」を重視しないからではないでしょうか。

社会人向けの講義をした際に、六五歳になる男性と話をする機会があったのですが、次のようなことをおっしゃっていました。

「最近、私は退職したのですが、これまで現実に追われて、会社の指示にしたがって、猛烈に働いてきました。でも、『果たして私は、自分らしい生き方ができているのだろうか?』とずっと考え続けていたのです。退職して時間ができた今、これからは自分らしい生き方を見つけたいと思っています」

この方は退職してから、自分のやりたいことを見つけようとしていましたが、私は今の若い人たちが、会社勤めをしながらでも、自分らしい生き方、自分が理想としていることを、見つけ出し、現実の仕事の中で少しでも実践していってほしいと思うのです。

私はよく、「もう一センチ」という言い方をします。

もう一センチだけ先へ進もう。ほかの人のためになることを努力してみよう。そうすることで、自分らしい理想の実現に近づけるはずなのです。

JRの四ツ谷駅には、乗客の荷物を運ぶお手伝いをする荷物係の方がいるそうです。

私の友人は足が悪かったために、この係の方に荷物を運んでもらったらしいのですが、この方は近くの改札まで運んでくれるだけでなく、さらに五〇メートル離れた出口まで運んでくれたそうです。

この荷物係の方の「もう少しだけ人のために何かしてあげよう」という行動こそ、私の考える「もう一センチの行い」です。

日本人は遠慮をする民族なので、幸福度を聞かれたときにあえて低く伝えたのかもしれません。「自分は幸せです」と言いにくかったのかもしれません。

でも、「もう一センチ」の行動ができる人が増えれば増えるほど、幸せを感じる人も増えていくように思います。


親鸞は六〇歳を過ぎてから、関東から京都へ戻られました。

私が授業を担当していた武蔵野大学の正門に、そのときの親鸞の旅姿が銅像となって立っています。この像について学生たちとのエピソードがあります。

像の横の石碑では、そのときの親鸞の状況を説明しているのですが、私はこの銅像について、試験に出そうと思いました。

「大学の正門の前に親鸞上人の銅像があります。この銅像について次回の試験に問題を出しますから、ちゃんと銅像を見ておいてください」

と学生に伝え、試験では次のように出題しました。

「正門の前にある親鸞上人の銅像は、どこへ旅立とうとしているのか？」

銅像を確認していれば、すぐにわかるサービス問題です。

ところが、なんと半分近くの学生が間違えていました。間違えた学生は、「天国」「あの世」などと答えていたのです。

武蔵野大学正門の石碑と親鸞像

特に看護学科の女生徒が多かったように思います。

「これから人を生かす仕事をする人が、勝手に天国へ送っちゃダメだよ！」

私がそう言うと、みんなは恥ずかしそうに笑っていました。


大学の正門前にある銅像の表情は、とてもイキイキとしています。私はこの像を見ると、いつも元気づけられるような気がしています。

六〇歳を過ぎてから関東から京都へ旅をした親鸞は、やはり意志の強い、主体性を発揮した方だったと思います。

平等性について

そして次に、親鸞の「平等性」についてです。

『歎異抄』の第五章で、次のように記されています。

「一切の有情はみなもて世々生々の父母兄弟なり」

これは、「すべての生き物は、何度となく生まれ変わる間の父母兄弟、お父さんお母さん、そして兄弟なのだ」ということです。この言葉こそ、親鸞の平等性をとてもよく表していると思います。人間だけはありません。すべての生き物は私の父母兄弟なのです。

キリスト教では、人間だけに限定して、「人間愛」というものをとても強調するのですが、仏教では、「衆生（人間を含めたすべての生き物）」という言葉をよく使います。対象は人間だけではないのです。

私は、「平等性とは悟りの一角」だと思っています。どんな人にも、「偏見」というものはあると思いますが、

「すべての人は平等であり、尊敬して関わっていこう」

そう考えられることが、悟るために必要な要素だと思います。

「一切の有情はみなもて世々生々の父母兄弟なり」

すごい言葉だと思いませんか？

ルターと親鸞

ヨーロッパには、「プロテスタント」を拓いたマーチン・ルターという人がいました。親鸞はルターとよく比較をされます。

ルターもカトリック教会の神父をやめて、以前から知り合いだった尼さんと結婚をしました。子どもは六人いたそうです(ちなみに親鸞は二度の結婚で、六、七人の子どもがいました)。

正確なところは今でも学術的に議論されていますが、二人とも、出家をした僧侶でありながら、出家をやめて結婚をし、たくさんの子どもをもうけました。

ルターは、「善行は無用。人は信のみで神に救われる」と考えました。ここでの「善行」は、親鸞の言葉で言うと「自力」、または「作善」に当たります。善いことはしなくてもいいのです。「信のみ (sola fide) で神の恩恵で救われる」

これがルターの考え方です。

そして親鸞も、「自力は無用。信心のみで、阿弥陀の本願で救われる」と考えていましたから、二人は似た考え方だったようです。

日本でいちばん多くの信者がいる浄土真宗の親鸞と、世界中に多くの信者のいるプロテスタントのルターが、尊敬され、比較されるのはこのような理由からです。

私がアメリカにいたときに、プロテスタントの牧師になるための勉強をしている大学院生

たちが、私のいる仏教の大学院大学で授業を受けていました。その時に、私は彼らに親鸞の話をしました。すると彼らは、

「親鸞の教えは、われわれのルーターの教えとそっくりですね」

と言ったので、私はちょっとだけカチンときました。

「それは逆です！　ルターは親鸞よりも二五〇年も後輩ですから、ルターが親鸞に似ているのです！」

そう私が言うと、彼らは少し不満気な顔をしましたので、

「もしかするとルターは、親鸞の生まれ変わりかもしれませんね」

と言ってその場を収めたことがあります。

私はルーターを批判するつもりはありませんが、実はルーターは平等性に欠けていたと思います。その理由はわかりませんが、ルーターはユダヤ人に強烈な差別感があり、『ユダヤ人と彼らの嘘について』という、とてもボリュームのある本の中で、次のように語っています。

「先ず、ユダヤ人たちの教会や学校に火をつけよ。第二に、彼らの家を焼き、破壊せよ」

当時の状況は、現代のわれわれにはわかりませんが、私はルターのようなすぐれた宗教家が、なぜこのような非平等的なことを言ったのかをとても疑問に思っています。

もちろん、親鸞にはそんな不平等な差別感はありません。

信心とは目覚め

親鸞の「誠実性」「主体性」「平等性」についてご説明しましたが、その元にあるのは「信心」という心です。

私は、「信心とは目覚めである」と思っています。「信心」は、「阿弥陀様にただただ依存する」という、「依存」という言葉で解釈されるかもしれませんが、その真理の中には次のようなものがあります。

◎「委託」(任せる)
◎「歓喜」(喜び)
◎「疑惑」(救われるかどうかという疑いがはれる)
◎「智慧」(ものごとの筋道がわかる)

自分の状況や傲慢性に気づき、阿弥陀様のはたらきを自覚をする。そうすることによって、自分のことがよく見えてくるのです。

これが信心の一角です。

みなさんは「即身成仏」という言葉を聞いたことはありませんか?

空海が説いた真言宗で使われる言葉で、「この体のままで仏になる」ということです。親鸞は「不断煩悩得涅槃」という言い方をしています。「不断」の「断」とは打ち消しという意味の言葉で、「煩悩を持つまま、感じるままに涅槃を得る」ということです。ただし、涅槃を得るのはこの世ではありません。

この世で得るのは、「信心」という「目覚め」です。私は、信心とは「理想の人間らしさ」の一つの要素を示していると思います。仏になるのは死んだあとです。死んだら仏になることが約束されているのです。今生きている間は、信心があれば、「自分という実体がある」という、「有身見」が超えられるのです。「有身見」を超えるとはつまり、「無我」になるということです。ここでの無我とは、「自分が存在しない」ということではありません。われわれは存在し、社会的に生きています。

仏教の「無我」とは、「単独で生じて単独で存在するような私なんてない」ということであり、「全て縁起によって支えられている」という意味になります。

「自分だけで生きている」という考え方が「有身見」ですから、「有身見を超える」というのは、「単独で生まれて、単独で存在していると思う気持ちがなくなる」ということです。

仏教の目的は仏になることです。

「上座部仏教」では、「出家僧侶にならなければ悟れない」とされていますが、日本の仏教はそのほとんどが「大乗仏教」ですから、出家者でなくても仏になることができます。

親鸞は、「出家者でなければ仏になれない」とも、「生きている間に仏になることができる」とも言っていません。この世で「信心という目覚め」を得ることができれば、仏になることが保証されているのです。

「信心さえあれば、あの世に行ったときに仏になれる」

そう思うと元気づけられ、安心できるのです。

自分の愚かさを見つめ直す

私は自分のことを、「実に愚かな考えや行動を取る人間だ」と思っています。

私は食事のときに「いただきます」というのをけっこう忘れますし、家で掃除をすると見返りを求めて、家内に「ありがとう」と言ってもらいたくなります。

親友に、「私はまだまだいたらない、愚かな人間だ」と言ったときに、「そのとおりだ」と言われると、自分で言っておきながら、良い気はしないのです。

メガネを探していて、「私のメガネを知らないか?」と家内に聞いたときに、「あなたは今、メガネをかけてますよ。あなた大丈夫?」と問われて、自分が愚かなだけなのに、ちょっと機嫌を悪くするのです。

「煩悩具足の凡夫」

凡夫である私には、まさにこの言葉がピッタリだと思っています。凡夫である私には、親鸞の「理想の人間らしさ」を手本とするしかありません。自分を否定するのではなく、自分の愚かさを見つめることで、もっと人間らしい人間に、理想の人間に近づけるのではないかと思います。自分の愚かさに気がつかなければ、信心に近づくことはとうていできません。親鸞はそれを実現しました。親鸞は「普通の人間らしさ」を有しながら、「理想の人間らしさ」を実現したのです。

私は親鸞のそのようなところを、身近に感じています。

私は自分の弱さを感じながらも、「人間として生まれてよかった」という感謝の気持ちを持って、親鸞のように前向きに生きたいと思います。

そう考えて生きることで、日々の生活がもっと充実するように思うのです。

和語で味わう親鸞の思想

東京大学大学院人文社会系研究科教授
下田正弘

親鸞の思想は、漢語と和語とを調和させた
和漢混交文の中にあります。
『三帖和讃』と呼ばれる作品の中から、
いく首かを味わってみたいと思います。

下田正弘

1989年、東京大学大学院人文科学研究科印度哲学専門分野単位取得退学。1993年、博士(文学、東京大学)。この間、デリー大学(インド)大学院留学。1994年、東京大学文学部助教授、2006年から大学院人文社会系研究科教授、現在に至る。この間、ロンドン大学(SOAS)、ウィーン大学(オーストラリア)にて客員教授を務める。1994年より、大蔵経テキストデータベース研究会(SAT)代表として大蔵経のデータベース化を推進。

親鸞が最後に残した言葉

私の専門はインド仏教です。経典がどのように成立し、形成されてきたかという過程を、歴史的に解明していく仕事に携わってきました。そんな中で、親鸞の著作を見直しますと、仏教思想解釈の正確さと深さに驚かざるをえません。

親鸞は漢語と和語両方で著作を残されています。もっとも代表的な著作として挙げられるのが『教行信証（きょうぎょうしんしょう）』です。これはすべて漢文で書かれており、当時の仏教の思想界に向けた、「念仏の教えの独立宣言書」にあたるものです。

当時の仏教の専門家に向けて、「念仏の教えがいかに確固たる根拠を持っているか、インドからの仏教の流れをいかに正当に受け、解釈し、完成された教えであるか」を、極めて精緻に理路整然と、お書きになっています。

現在、親鸞の研究者は、まず『教行信証』を取り上げるでしょう。そしてその思想が、現代においても大変な力を持ったものであるということを証していくのですが、今回は漢語で表された思想ではなく、和語で表現された著作を見ていこうと思います。漢語では表しえない繊細な深みがそこに味わえるからです。

親鸞には『御臨末の御書』といわれる記録があり、そこには九〇歳のときにおっしゃったとされる言葉が書きつけられています。

「一人居て喜ばは二人と思うべし、二人居て喜ばは三人と思うべし、その一人は親鸞なり」

このお言葉が、最後に残されています。

親鸞の著作を見ますと、私信を別としてご自身のことを表に立てられることはありません。漢語においてはことにそうです。けれども、最後にご自身のことを、未来の私どもただ一人に語りかけるようにおっしゃっている言葉が、こうして和語には残されているのです。

和語で著された讃歎

これは、『教行信証』という体系的な思想書から、窺えない側面です。日常の生活経験の世界で語りかけられるような言葉を私たちが受けるときに、いわば『教行信証』裏面にあってこの世界を照らし出すようなものがわかってくるのではないかと考えます。

和讃とは、和語による讃歎（さんだん）です。和語で釈尊の教え、阿弥陀仏の教え、弥陀の本願を讃歎するものです。和讃は一首は四行ありまして、七五調を主とします。

親鸞が『教行信証』を制作したのは、四二歳のときだといわれていますが、和讃の制作を開始されたのは七六歳のときです。そして、最後の和讃『正像末和讃（しょうぞうまつ）』を完成されたのは、八五歳です。

『教行信証』に用いられているような難解な言葉ではなく、生活の中で使う血肉化した言葉、身体の一部になった言葉の響きをもって、最晩年に和讃を作成されたことには、深甚なる配慮が窺えます。

親鸞から一五〇年ほど経ったときに、蓮如は、「この和讃を朝と夕の勤行（ごんぎょう）に使う」ということを定められました。和讃の言葉を繰り返すことによって、自分自身の生かされている事実が、和讃の言葉が生まれ出てきた起源に照らし直されて、親鸞聖人にお会いすることができる、そんな確信を持って、定められたのではないでしょうか。

三種の和讃

和讃は三つのカテゴリーに分かれます。

一つ目は『浄土和讃』で、二つ目は『高僧和讃』、そして三つ目が『正像末和讃』です。親鸞は、七六歳で『浄土和讃』と『高僧和讃』、この二つの和讃の制作にとりかかり、八三歳のときに完成させて、「これで私の表現活動は終わった」と、大変安堵して喜ばれたという記録があります。『高僧和讃』の完成のしるしとして、ご自身の姿を絵師に描かせたものが、現在、「安城の御影」として残っていますが、このとき親鸞は「仏教のあるべきことを書きつくした」と思われたのでしょう。

ところが、それから二年ほど経ったころに、さらに『正像末和讃』の制作に取りかかることになります。

『浄土和讃』とは？

三つの和讃のうちの『浄土和讃』というのは、浄土を説く経典を再現したものです。経典が和語によって表現し直されています。

私はインドの経典の成立を専門にしていますので、サンスクリット語や漢語の経典を読んで、そこから表れてくる世界を私なりに描いてきました。その経験をもって『浄土和讃』を比較してみると、その読解の精確さと深さに、言葉を失ってしまいます。

私は、インドの思想の中で、インドの仏教者が経典をどのように解釈しているか、も辿りましたし、中国仏教思想や、チベット仏教思想の中で、どのように受け取られていたか、ということも辿りました。その過程でインドもチベットも、中国も、日本も、それから親鸞にも、繋がっている部分というものが見えてきます。

そしてそれと同時に、「親鸞独自の経典の受け取り方」もわかるようになってきました。

この『浄土和讃』は、大蔵経と呼ばれる厖大な経典群の中から、大事な教えとして選び抜かれて、師匠の法然から受けつがれたものです。

大蔵経の中の『大無量寿経』『阿弥陀経』『観無量寿経』、それからその他の『涅槃経』や『大集経』『華厳経』などの経典を、親鸞は丁寧に解読し、そこからエッセンスを抜き出していることがわかります。こうして完成したのが『浄土和讃』です。ですから、『浄土和讃』をたどっていけば、仏教史、仏教思想史が、親鸞を通して見えてくることになります。

『高僧和讃』とは？

『高僧和讃』は、教えの伝承の歴史です。

お経の起源はお釈迦様です。その起源から、どのように仏教者一人ひとりに伝承されていったのか。そこを表し出しているものが『高僧和讃』です。

しばしば現代の人は、「仏教を理解するには、起源さえわかればいい。伝統や伝承（プロセス）というものは、個人の解釈が勝手に入りこんだり、曲げられたりしてしまっているから、それらは排除して、起源だけを辿っていこう」という気持ちになりがちなようです。

ところが、諸々の経典の冒頭に、「お釈迦様のお弟子さんの数は一二五〇人であった」といわれているように、釈尊に出会えた高弟は極めてわずかな数でしかありません。厖大な数の仏教に帰依する人びとは、「伝承されてきたという事実のみ」がその手立てとなっているのです。

そう考えますと、起源と伝承という二つは、実は切り離せないものであることがわかります。

釈尊は入滅しましたが、仏教は消えませんでした。消えないどころか、釈尊の入滅が仏教の新たな始まりなのです。釈尊が亡くなって以降の人びとは、実際の釈尊を知りません。見たことも聞いたこともないのに、仏が存在するということ、仏法僧（ぶっぽうそう）という三宝（さんぼう）の存在は、仏教が成り立つ絶対的な基礎となっていったのです。


「仏ってどんなものなのか？」

「法ってどんなものなのか？」

「僧ってどんなものなのか？」

「なぜ三つが宝となっているのか？」


極めて基礎的であるからこそ、非常に大事な仏教のありようが、そこにはあります。どんな人がどのようにしてその教えを受けついできたのか。その過程を表し出したのが『高僧和讃』です。『浄土和讃』は、仏と法の、二つの宝を説いたものです。それは仏教の起源というべきものです。それに対して、僧宝を通した法宝のありようを説いたものが、『高僧和讃』です。その意味で、『高僧和讃』は仏教の歴史と言ってよいでしょう。

『正像末和讃』とは？

『浄土和讃』が仏教の起源であり、『高僧和讃』が仏教の歴史であるのに対して、『正像末和讃』は、まったく異なっています。

仏教が誕生する経の解釈である『浄土和讃』があって、その継承の歴史である『高僧和讃』があれば、私たちは、「もうそれが仏教のすべてで、それ以外になにがあるのだろう?」とも思うでしょう。先に述べたように実際に親鸞は、この二つの和讃の制作で、一度は執筆を終えられました。

最後の『正像末和讃』とは、仏教の起源も歴史も、あたかも消えていくように超えられていく新たな偉業として受け取られるべき「大事件」だと思います。『正像末和讃』は、親鸞聖人ご自身を通して現れてきた新たな仏教のすがたです。

和語と漢語

では、これから和讃をいくつか取り上げてみましょう。

和語で書かれているといいましても、最小限の漢語はどうしても必要になってきます。経典はすべて漢字で書かれた言葉として日本に入ってきましたので、仏教のなにがしかを表そうとしますと、必ず漢語が出てきます。しかも経典というものは、もともとインドから来ているものですから、漢語を用いる中国にとっても異世界のものになります。「中国の歴史の中で、外来の文明を受け入れたのは、二度しかない」といわれています。一度が仏教の受容で、もう一度はマルクス・レーニン主義の受容です。

マルクス・レーニン主義というのは、政治経済思想です。この世界をどう作っていくか、どういう権利関係とか力関係を作っていくべきか、という文明構築の営みです。

ところが、仏教はそうではありません。この世の中を超えた世界、法界というもののありように向かいます。

仏教が入ってくる以前、中国には自国の文明の中でずっと育て上げてきた教えがありました。

一つは儒教で、もう一つには道教です。この儒教と道教は、いわばお互いが山の向こう側とこちら側に立ち、光が当たる斜面と影になる斜面にあって、互いに応対するところにある教えです。それらが、すでに完成されていたところに仏教が入ってきます。

これほどに完成された思想をもった中国は、本来なら新たな思想を取り入れる必要はなかったはずなのですが、仏教が入ってきて、それまでにあった儒教と道教を根底から組み替えていきます。仏教の伝播とともに、三つの教えがあらたに反発しあい、融合していくような運動が中国の歴史の中で起こっていきます。

新たに中国にやってきた仏の世界、これはいったいなにものなのかということについて、中国は長いあいだ葛藤します。

「どのような言葉で経典の内容を翻訳していけばいいのか」という葛藤の歴史の中で、経典が漢語に翻訳されていきました。中国にそれまでなかった仏教の世界が、徐々に浸透するにつれて、中国語自身も変わっていきました。中国で経典ができあがるまでには、そうした過程を経ています。

そしてそれらの漢語が、和語で成り立っている日本語の世界に入ってきます。ご存知のとおり現在の日本語は、和語と漢語という二つの言葉で成り立っています。

私たちは今、漢字を「音読み」と「訓読み」という二つの読み方で受け取っています。この音と訓では、意識のうえに開かれる世界が違います。

哲学とか、経済とか、政治とか、あるいは科学とか、そういった制度的、あるいは論理的な問題を論ずるときには漢語を使います。ところが、情緒を必要とする日常の言葉には、和語が浸透しているのです。

その二つを、私たちは知らないうちに自然に使い分けているわけです。日本は「漢字」と「仮名文字」で言葉を作り上げていますが、こうした二種類の文字を抱えている民族は、現代では極めてまれになりました。

以前は韓国もハングルと漢語を使用していましたが、今ではすべてハングルになりました。ベトナムは、漢字とベトナムの言葉で一つの言葉になっていましたが、フランスによって、すべての表記をアルファベットに変えられました。

ほかの国では消えていってしまったものが、日本には残っているのです。なにか悲しいことがあったとします。そのことを「悲哀」とか、「悲嘆」という言葉で表現するのと、「かなしい」という言葉で表現するのとでは、自分自身の中で情緒的に起こる反応というものが違ってくるように思いませんか？

私たちの心の中の動きと、言葉は常にシンクロし、響き合っています。言葉によって心が形になって、その心を受け取ることができますし、その言葉を受け取ることによって、心の形が伝わっていきます。言葉には、いわば精神の形を作り上げ、さらに伝達していく作用があります。

親鸞は、まず漢語で仏教の念仏の教え、浄土、阿弥陀の本願、行、信といった仏教の要となる思想を確かな糧として吸収しました。その後、最晩年になって、和語と漢語を合わせて和讃をお作りになり、仏教の精神を形にされました。

『讃阿弥陀仏偈和讃』

では、お経に説かれた世界についてご説明しましょう。

「『浄土和讃』はお経の起源である」といいましたが、『浄土和讃』には最初に、『讃阿弥陀仏仏偈和讃』という「プロローグ」があります。

「仏、如来、釈尊、阿弥陀仏とはいったいなんなのか」を解説しています。

歴史的に申しますと、浄土教の経典は、釈尊が入滅されて三〇〇年から四〇〇年くらい経ったあとに出てきましたが、ここで踏まえておいていただきたいのは、経典とは、釈尊が直接説かれたことだけではないことです。初期のころの経典を見ると、弟子が説いた言葉も経典となっていました。

例えば弟子が、「お釈迦様、私は今、こんなことを考えました」と釈尊に申し上げたときに、「それはすばらしい！　よくそこに気がついた！　私が伝えようとしていることをみごとに言い当てた！」と認可されたとすると、その言葉もそのまま経典に含まれていきました。

釈尊は、「自分が歩んできた道、至りついた世界は、過去の仏たちが歩み、至りついていたところである」とおっしゃっています。「私が起源であり、私から真理が始まるのだ」というようなことは、いっさいおっしゃっていません。ということは、釈尊の言葉の本当の起源はどこにあるのか、ということが大切な問いであり、それが仏教となって受けつがれてきているのです。

これは、「仏法僧」の三宝のうちの、「仏」と「法」という真理に関わるものです。

法には二つの側面があります。

まず一つは、「釈尊が仏になったのは、悟りに至りついたから」ということであり、その悟った真理が「法」であるといわれています。

そしてもう一つ、釈尊は、「私が至りついた法はこれなのだ」として、言葉で表現されたもの、それも「法」であるとされています。こちらは「教え」です。

「至りついた真理（悟る対象＝目的）」と、「至るための手立て（方法）」は、常に合わさって一つの課題を作っています。

教えとして残された言葉は「方法」です。それはあくまで、「そのときに適当である」と思われたものであり、「方法」は、時と場合が変われば変わっていくものです。「目的」は変化するものではありませんが、「方法」は変化してよいものです。

釈尊が過去の仏の道を辿っていくのだとすれば、その仏は釈尊のさらに以前に起源があったことになります。このような考え方は、インドに残された資料によれば、極めて初期の仏教からあったことがわかります。やがて、そしてほとんど突然に、阿弥陀仏、阿弥陀如来という仏の名前が出てくるようになります。釈迦という氏族の名ではなく、「無量の光」「無量のいのち」を名の本体とする仏です。

そして、「阿弥陀仏が起源の仏様である」ととらえられて、その教えが経典になっていきました。その経典の世界で起こったことを記されているものが、『浄土和讃』です。

その冒頭にある、『讃阿弥陀仏偈和讃』と名づけられる和讃は次のように始まります。

弥陀成仏のこのかたは
いまに十劫をへたまへり
法身の光輪きはもなく
世の盲冥をてらすなり

(弥陀という仏が成仏されてから、既に十劫という長大な時間が経っている。そして今ここに、その仏がおられる。その清らかな仏の身から放たれる光明は、あまねく暗愚の者たちをもろもろ照らされている)

「世の盲冥」というのは、今この世に生きている私たちのことです。心の目が見えないので、心の光は届きません。いくら私たちが「明るい」と思っていても、それは閉ざされた自分の中に見出そうとするものです。自分という暗がりの中に閉じ込められているのです。そこを長い長い時を経た仏の光が、ずっとたえまなく照らし続けている。

キリスト教の『新約聖書』の「ヨハネによる福音書」に、「世界の始まり」という話があります。

「はじめに言葉ありき」から、「光に闇が打ち勝てない世界ができていった」という賛歌です。そんな聖書の世界と照らし合わせてみると、不思議に共通するものがあるように思います。

自分のことが見えていると思っていても、実はそこには見ている自分の影という、深い闇がある。それを破るのは、自己を超えた仏への帰依なのです。

そこから和讃は始まります。

尊者阿難座よりたち

プロローグが終わりますと、大乗経典の核心となるエッセンスが、和讃として取り上げられています。その中の一首を取り上げてみましょう。これは「大無量寿経」という経典の中の始まりにあたります。経典とは、「如是我聞」(=かくのごとく我聞けり)という一句から始まります。一神教のように、「神はこうのたもうた」という形ではなく、あくまでも「私はこう聞いた」という形です。

「大無量寿経」は、阿難という、釈尊のお弟子さんのことが語られています。

この方は、お釈迦様の年下のいとこにあたり、二五年間お釈迦様に影のように仕えた方です。お釈迦様が、「今、なにを考えておられるのか?」「なにをどうなさりたいのか?」ということが、よくわかっていたお弟子さんだったようです。

親鸞聖人の和讃は次のように始まります。

尊者阿難座よりたち
世尊の威光を瞻仰し
生希有心とおどろかし
未曾見とぞあやしみし

〈阿難尊者は座を立って、世尊〈お釈迦様〉の前に進み出て、その光り輝く御姿を仰ぎ見て、「希有な心が生まれた、ありえない気持ちになった」と驚き、「いまだかつて、このようなお姿には出会ったことがない。なにゆえなのだろうか」と不思議に思ってあやしんだ〉

といった内容になりますが、ここに大乗経典という経典のもつ、大切な特性が表れています。歴史というものはわかってしまうと、「当たり前の知識」とされてしまいます。私たちが自分の一生を考えてみてもそうだと思います。「どこで、何年何月に生まれて、どんなことがあって……」という自分自身の歴史が知識となっています。知識となった出来事の集まりが、自分自身であるように思っています。けれども、はたしてこの知識の集まりが自分なのでしょうか。

一方で、私たちがなにかに驚いたときとか、感動したときなどに、「ああ、自分は本当にこの場にいたのだ」と、はっと目覚めたような気持ちになったことがあります。阿難は、「自分は釈尊のことがよくわかっている」と思っていたのに、あるとき見たその姿に、初めて出会った驚きをもって自分の座を立ち上がってしまったのです。

これは先ほど述べた、「至りついた真理（悟る対象＝目的）」と、「至るための手立て（方法）」との差異を示すテーマだと思います。どんな困難な状況にあっても、その困難を突き破って立ち上がり、進ませていくものは、「驚き」であり「感動」です。それは、「悟り」につながっています。

「悟り」とは、静的に理解することではなく、我を超えていく運動そのものです。

仏教の歴史の中では、教えが受けつがれることで、次第に整理され、精緻な解釈が施されて、見事な案内図ができ上がっていきます。ところが浄土経典では、案内図に導かれた目的地の理解ではなく、起源にある仏との出会いを問題にしています。教えの内容に先立って、それを説く仏の存在が重要であり、仏の存在への驚きが重要なのです。

大乗経典ではこのことをとても大事なこととしてとらえ、釈迦仏の存在の起源に戻ることで、仏教の歴史をもう一度蘇生させようとしています。

理解された世界が広がっていくにつれて、その理解によって覆い隠されてしまった仏の存在。それを、もう一度あらたな形で開き出しているのです。

仏の教えの伝承の歴史、その根底にある仏の存在の意義、親鸞聖人はそれを深く理解しておられました。経典に存在する仏、その働きを、そのまま表現されたものが『浄土和讃』なのです。

『高僧和讃』の世界

今度は立ち位置を変えて、「この経典はどうやって私たちのところまできたのか？」ということを見ていきましょう。仏教をいわば内側から見るのではなく、外側から見るための立ち位置です。見方を変えると、また違った世界が見えてきます。

経典は、最初は文字に書かれたものではなく、口頭伝承、口伝（くでん）によるものでした。お釈迦様のお弟子さん方は、釈尊から一度聞いた言葉を生涯覚え続けていました。そしてその覚えたものを次の世代に引き渡していったのです。

ということは、最初に経典が存在した場所は、人の身体（＝生命）だということになります。覚えたことを思い出せなくなったら、教えが消えてしまいますから、残してゆくためには、暗唱している必要があります。その経を暗唱していく人は、それを一生涯の仕事とするのです。

そうやって人から人へと伝承されたものが、あるとき写本のうえの文字になりました。写本を作るためには、大変な労力が必要でした。当時は、現代のような大量生産ができる印刷技術はありません。木の皮を薄くはいで、鉛筆のような形の尖筆（せんぴつ）を作って、木皮に傷をつけて染料を流し込んで、文字を浮き上がらせていきました。教えを継承していくためには、膨大な人の力と努力が必要です。

このように紀元前後に写本になったものが、今でもガンダーラ、パキスタン、アフガニスタンの遺跡から出てきます。

仏の言葉をインクの染みとして残してくれたおかげで、今も私たちのところに仏陀、仏が過去からよみがえって再現されるのです。

そうして残された写本は、中国に渡って翻訳されました。インドから中国にいかにして経典が運ばれたか、その記録が、『大唐西域記』にあります。唐時代初期の玄奘（げんじょう）の記録です。それより以前に、東晋の時代の法顕（ほっけん）も『仏国記』という記録を残しています。

『大唐西域記』によりますと、中国からタクラマカン砂漠、ゴビ砂漠を越えて経を求めて行くうちに、幾人もの人たちが亡くなりました。また、砂漠地帯を越えたあとは、今度はヒマラヤの危険な崖を越えなくてはならず、そこでも何人もの人が亡くなっていきました。

そうやって大変な苦労をして中国に教えを持ってきたあとに、今度は後半生をかけて、教えを訳していきました。そのときの経典が今日まで残っているのです。

私は『大蔵経』の約一億一千万文字をデータベース化する仕事に携わってきました。経典をすべて電子データに移していると、一つひとつの文字、言葉の中に、いかに多くの人びとの歴史、生涯、願いがこめられているかに気づかされ、頭が下がります。

「経典を継承してくれた無数の人たち」、その歩みを尊び讃嘆したものが、『高僧和讃』の世界です。

曠劫多生のあひだにも

『高僧和讃』では、七人の高僧を紹介しています。インドからは龍樹、天親という代表的思想家です。中国からは、曇鸞、道綽、そして善導。日本では源信、そして源空（法然）です。この高僧たちが、『無量寿経』『阿弥陀経』をどのような姿勢で受け取ってきたのかを明らかにしており、親鸞の仏教思想もここに表れています。

源空（法然上人）への深い思いが表された和讃を見てみましょう。

曠劫多生（こうごうたしょう）のあひだにも
出離の強縁しらざりき

本師源空いまさずは
このたびむなしくすぎなまし

（久遠（くおん）の時間のあいだに、生から死へと流転していく。その世界から解放される。そういう力となり縁となる弥陀の本願を知らなかった。もし、真の師匠、自分の信仰の起源となる師匠である源空上人がましまさなかったならば、この世界、この自分の生も、またむなしく過ぎていただろう）

仮定法を使い、反実仮想で表現されています。

先ほど「弥陀成仏のこのかたはいまに十劫をへたまへり」についてご説明しましたが、時間というもののとらえ方が、今の私たちとは違い、はるかに深遠なのです。「何年何月何日に生まれて、何年何月何日に死ぬ」という人の短い生涯の時間に収まっているものではありません。

人の人生はほんの氷山の一角であり、自分の目には見えぬ大きな力があり、その背景にはとても長い時間がある。そんな中に自分が今ここにいます。

また、「一人の一生ではなく多生の間」という理解があります。「これまで、生まれ変わり、死に変わり、を繰り返してきて、そして今、流浪してここにたどり着いている。そしてまた流浪していってしまうのだろう」という理解です。

そこではじめて止まって、聞くということ、出会うということが、重要な契機として立ち現れてきます。そのことが『高僧和讃』の中で、「源空との出会い」として詠われているのです。先ほど、『高僧和讃』が伝承、つまり歴史であると説明しましたが、「その歴史が自分自身の存在になっていく」という転換点があります。それが出会いなのです。

「たった一度かぎりの出会い」であっても、それは歴史的事実です。そして、その事実が「自分の存在」に重なっているのです。

この出会い、気づきがなければ自分は、「何年何月に生まれて、何年何月に死んで……」というただの履歴書になってしまいます。そこには、「今ここ」がありません。『高僧和讃』は、長大な歴史の中にありながら、「今ここ」があります。

『浄土和讃』は一一八首で、『高僧和讃』が一一九首です。この二百数十首は、仏教の起源、仏の存在、仏教の歴史を、このうえなく精選された表現でなされているのです。

釈迦如来かくれましまして

『浄土和讃』と『高僧和讃』の次に、『正像末和讃』が作られました。

仏教の起源を語り、歴史の伝承を語れば、もう仏教は語りつくされてしまうはずなのですが、そこからもう一回離れる境地に立たれたのが、親鸞が八五歳になったときでした。九〇歳でお亡くなりになっていますから、本当に晩年になってからです。『正像末和讃』の始まりで、こうおっしゃっています。

釈迦如来かくれましまして
二千余年になりたまふ
正像の二時はをはりにき
釈迦の遺弟悲泣せよ

（釈尊が入滅されて、二千余年という時が経った。正法と像法の時代はすでに終わった。時代は末法に入った。末法に生まれた如来の遺弟、私たちはただ悲泣しなければならない）

釈尊は姿を消してしまわれた。私たちは知識の糧として残されたその教えに頼ろうとしている。だが、その教えの主は遥か昔に亡くなってしまわれたのだ。釈尊の教えに頼ろうとする前に、この事実の身をこそ、悲泣しなければならない。親鸞にとっては教えが存在すればよいというものではない。釈尊という仏の不在こそが問題なのです。

言い換えれば、外の歴史として存在する仏教ではなく、問題をもう一度、自分自身という問題の根源に差し戻し、仏との出会いを問いにしているわけです。

釈尊が入滅されているのに、今自分がなにを頼りにしようとしているのか……。教えを頼りにするというのは、それを正当化しようとすることにつながります。そこに根拠があるということを証明しようとしてしまいます。それは教義になっていきます。教義はドグマ（独断）になって、信じるということが、他を排斥していくことにも繋がってしまいます。ここに「理解」が作り出す恐ろしい世界があります。

それに対して、『正像末和讃』は、親鸞ご自身を根拠にした教えであり、ほかのものに頼ることを求めていません。

『正像末和讃』は経典の教えも、歴史も踏まえられております。『浄土和讃』は経典の世界を表し、『高僧和讃』は教えの伝承の歴史から事実を表し出されたものでした。ところが、『正像末和讃』は、この二つが融合されて、親鸞ただ一人の中で人格を突き抜けた言葉としてほとばしり出てきたものでした。

無明長夜の灯炬なり

『正像末和讃』には、仏教の起源と歴史とが、親鸞一人の独自性となって表れているように思えます。

無明長夜の灯炬なり
智眼くらしとかなしむな
生死大海の船筏(せんばつ)なり
罪障おもしとなげかざれ

(弥陀の本願は、煩悩の長く昏(くら)い夜の灯である。知恵の目が昏いと、悲しむな。生死大海の船であり、筏である。罪障の身が重いと、嘆くことはない)

人生を過ごし、いったい自分は何が分かったのかと、自分自身をふり返ったときに、本当には何も分かっていなかったのではないか、という思いに至らざるをえないでしょう。そのときに初めて人間の本体を、「無明」といわれた釈尊の言葉が、真実の言葉として聞こえてきます。

この実相を照らすことばを親鸞聖人は、「照らす灯」であるとおっしゃっているのです。「照らされているのだから、知恵の眼が暗いと悲しむことはない。生まれ変わり、死に変わりして、流浪していく自分の身というものは、まるで荒海の中に船出をしていったようなものである。どこに飛び出していくか、どこに流されていくかわからない。ただただ溺れて、沈んで行かざるをえない。その身をこそ、支えてくれるのが、舟であり筏なのだ。だからなにも嘆くことはない」

この一節は､経典に説かれているわけではなく､高僧方の解釈としてあるのでもありません。これは阿弥陀仏が無量の光として出現された、『浄土和讃』を踏まえ、「高僧たちはそのように通ってこられたのだ」という『高僧和讃』を通った、親鸞聖人の呼びかけとして存在している言葉だと思います。

願力無窮にましませば
罪悪深重もおもからず
仏智無辺にましませば
散乱放逸もすてられず

(弥陀の本願力は窮まりない。重い罪業を抱えていても、どんな罪であってもなにも重くない。仏の智慧は無辺で限りがない。散乱放逸の心も捨てられることはない)

いかに光を与えられても、ふと、その先に闇を見てしまう自分。その瞬間、すべてはまた闇に変わってしまう。自分が光を闇に変えてしまうのです。そこにこそ届く光がある。

散乱は、「もうどうにでもなれ」「もう知ったことか」という気持ちでしょう。どんなに努力をしても、どうにもならなくなると途方に暮れてしまいます。そのとき私たちは、自分では知らないうちに「世界の果て」に来てしまっているのです。

「誰もこんな自分に気がついてくれないだろう。もうどうなってもいいや……」と思ってしまうような、自暴自棄になった自分自身こそを、照らしてくれている言葉です。こちらも、経典の言葉を引かれたわけでもなければ、高僧方の言葉を引かれたわけでもありません。

言葉と響き、和讃の持つ力

日本語の歴史を振り返りますと、漢語は漢語として表現され、和語は和語として表現されていたものが、あるときからその折衷の形となって日本語になったことがわかります。

言葉は、形にならない精神を自分に向けて形にして、かつ、他者と繋げてくれる貴重な手段です。言葉は、自分の心を心にするとともに、人と人の心を繋ぐ大事な接点の役割をしています。

日本の独自の表現の姿である和語にもう一度託し直して、漢語で表し出された精神の世界を形にする……。和讃の言葉一つひとつは、インドに発し、中国を経てきた仏の世界を、何としても日本に届けたいという、親鸞の畢生（ひっせい）の願いと努力の結晶であります。

確かに和讃の「意味」をたどっていくことは、それを受け取るための目安として、また手立てとして必要なことですが、実はその「意味以上」のものが、和讃の響きの中にあります。その言葉の響きは、親鸞の中に生まれたものです。何度も何度も言葉を静かに繰り返してみると、そこに自分自身を超えた内奥が共振しはじめます。

意味以上の言葉として、和讃はこれからも、未来の人びとの中に、深い共鳴を呼びおこしていくでしょう。

釈尊の「悟り」から親鸞の「救い」へ

浄土真宗本願寺派 総合研究所所長
丘山 新

「念仏を称えて死後に浄土へ生まれることを目指す」

親鸞の教えは、自分ひとりの「救われ」を目指すものなのか？

この点から現代に生きる意味を問い直してみましょう。

丘山 新
1948年東京生まれ。京都大学理学部卒業、東京大学大学院人文科学研究科修了。中国政府給付留学生として北京大学留学。東京大学東洋文化研究所教授などを経て、現在、浄土真宗本願寺派総合研究所所長。その間、ドイツ、ミュンヘン大学東アジア研究所客員研究員など。

解脱してやろう！

私は日々考えが変わっていきます。そんな私が、最近考えていることをお伝えしようと思います。

「私はこう考えています。結論はこうです」というのではなく、親鸞聖人やお釈迦様が、みなさんにとってどんな存在なのかを考えるときの、素材になればと思っています。ですから、結論はありません。その点は最初にお断りしておきます。

数年前、私は東京の大学を辞めて、招いてくれた京都へ移りました。私はもともと宗教の現場で働きたいと考え、研究者になろうと思ったことは一度もありませんでした。

私は、大学の理科系の学部を出ることになったときに、

「このまま就職をすると、自分の人生を企業に売ってしまうことになるのではないか？　私は自分の人生を考えることを、自分の仕事にしたい」

と思うようになりました。

ところが、「では何をするのか？」と考えてみても、なかなか目標が定まりません。

そのように思案していたときに、たまたまインドの思想に出会いました。それまで勉強していた西洋の思想に納得していなかった私は、インドの思想に惹(ひ)かれ、「これだ！　よし！

私も解脱してやろう！」と思い、とりあえず自分で一年間勉強を続け、その後、東大の大学院に入学しました。

当時勉強をしたどの本にも、

「お釈迦様は十二縁起で悟った」

と書かれていましたので、

「そうか！　これを勉強すれば悟れるのだ！　解脱できるのだ！」

と考えて、さまざまな研究書を集め、十二縁起を勉強しました。

ところが、なかなか解脱ができません。

「書いてあることは何か間違っているのではないか……」

と思い始めて、勉強を止めようと思いました。

そのときの私の師匠は、玉城康四郎という先生で、いつも冥想をなさっている方でした。

私は玉城先生のところに行って、「もう勉強するのをやめます」と言いました。すると玉城先生は、

「短気を起こしなさんな。学問と信仰は、車の両輪みたいなもの。信仰の方向性は、学問が保証する。学問の意味づけをするのは信仰です。ただし、今の仏教学は全部間違っている。安心しなさい。間違っているものはもう相手にしなくていい」

そうおっしゃいました。そして、

「十二縁起を研究するのはやめなさい。その代わり経典をしっかり読むように」

とおっしゃったのです。そういわれると、なんとなく「そうかな？」と思って、それからずっと経典の研究を続けて、今に至っています。


私は子どもの頃から、比較的、経済的に恵まれた環境で育ってきましたので、たいした悩みはありませんでした。唯一、考えていたのは、

「この世界から戦争をなくしたい」

「人間の心の中から憎しみの思いをなくしたい」

ということでした。


もちろん、なくなるわけがありません。なくなるわけはないのですが、私は誇大妄想的に生きているので、この二つのことを、中学校の頃からずっと考えてきました。

考えてきただけでそれを実践してきたわけではないので、語る資格もないのですが、私はそんな思いで今日まで生きてきました。

ともに生きている

私が所属している浄土真宗本願寺派は、「社会的な課題」に取り組んでいます。ただ私は、「それは仏教ではないんじゃないかな？」と思うことがあります。

私が七〇年以上生きてきて、社会的課題の解決に取り組みたいと思ったことは一度もありません。私が取り組みたいと思ったのは、「ともに生きている人たちとのあり方」です。もし、この地球、この世界で、ともに生きている多くの方々が悲しみ悩んでいるとすれば、その思いを共有せざるを得ないと思うのです。意図的にそういう声を聞こうということではありません。「ともに生きているのだ」という思い、それが仏教の、特に大乗仏教の、基本的な考え方だと私は考えているのです。

例えば、ある方が悩み苦しんでいて、その原因が社会的な課題に起因するのだとすると、「私もそれに取り組まなければならない」と思います。社会性や公共性といった意味合いもあるかもしれませんが、私は、「ともに生きているという思いを、どうやったら持てるのか」ということを大事にしたいと思うのです。

世界中の人の手が、みんなつながっているのが私の夢です。そうなることによって、誰かが「痛い！」と痛みを感じると、私にまでダイレクトに伝わってくることになるでしょう。ですが、残念なことに、人間の体は一人ひとり孤立しています。「他の人が悲しんでいるのは可哀相だ」と思いながら、やはり、「自分の幸せは自分の幸せだ」という思いになります。

これが自然なことだと思います。

ただ、私はそれでは物足りないと感じ、そのことをずっと考えて生きています。

現代的課題の根本にあること

今の社会には、「経済格差」「戦争や紛争」「テロ」「人権問題」「環境問題」など、さまざまな経済的、社会的、政治的な問題があります。そのような問題に直面したときに、私が感じていることを指摘してみたいと思います。

まずは、「人間関係の希薄化」「劣化」です。

みなさんも、「人間関係って何なのだろう?」と考えたことがあると思います。ですが、世界全体としては、どんどん人間関係が薄れてきています。特に日本の場合は、家族関係が崩壊して、「お一人様化」が進んでいます。高齢者も若い方も、一人暮らしの人が多くなり、「孤独死」が深刻な問題になっています。

また、「いじめ問題」もすべて人間関係の歪(ゆが)みです。これもまた人間関係の希薄化が原因のように思います。

さらに、「排他的な考え方」も問題です。

例えば、イギリスがEUから離脱を決めました。アメリカではトランプ大統領が登場して、

「アメリカファースト」という言葉で、排他的な考えが露骨化してきました。

日本では、数年前に「都民ファースト」という言葉をよく聞きましたが、東京の小池都知事にはそのつもりはなくても、埼玉や千葉の方が聞いたらどう感じるでしょう？

「議会ではなく、都民を大事にするのだ」と小池都知事は説明していましたが、「なんとかファースト」というと、一般的には、「まず自分たちを優先する」という響きのある言葉ですから、私は嫌な気持ちになってしまいます。

少なくとも二〇世紀までは、「自分たちさえよければ」とか、「あいつらがジャマだ」ということは、「言いたくても言っちゃいけないこと」として、道徳的、倫理的な自然の感覚があったように思います。ところが最近、そのブレーキというか、制御していたものがなくなってしまいました。

「言いたい放題何でも言っていい」

「嘘でも何でも言っていいのだ」

という、とてもおかしな感覚になってきています。こちら側とあちら側で線を引いて、あちら側を常に排他的に見ていくというような状況です。

このことは仏教的には、「利他行」という立場からすると、まったく正反対の方向です。

私の所属する宗派は、ここ数年間、平和に関するいろいろな議論をして、それなりの考えを出してきました。その中で私が一貫して感じるのは、「平和の問題を国単位で考えることに対する強い抵抗感」です。

仏教は、「一切衆生（いっさいしゅじょう）」という表現をして、国単位で物事を考えることはあり得ません。国単位で考えるということは、個人的に考えることと同じで、国のエゴイズムを認めた上で、議論をしていくということになります。

仏教とは、「自分さえよければいいという思いを超えていこう」とするのが基本だと思います。「一人ひとりとともに」「命あるものとともに」という考えです。そう考えると、排他的な思考は、やはり私にはとても抵抗感があるのです。

ただ、「そんなことを言っても、人間ってエゴイスティックな生き方しかできないよね」という考えも、私の心のどこかにあります。だから、私もキレイごとで言っているつもりはありません。

「自己本位にしか物事を考えられないけど、それでいいのか？」

というのが、私の根本的な葛藤です。

人間が人間である限り、排他的な思いとか、いろんな争いとか、憎しみとかをなくそうというのは、なかなか難しいことです。不可能に近いことだと思うのです。

ただ、たとえそうだとしても、「それを見つめ続けて生きていきたい」と思っているのです。

人間関係は苦をもたらす？

では、お釈迦様は人間関係をどう考えていたのかと申しますと、「四苦八苦」という言葉があります。「四苦八苦」の中には、人間関係を否定的に考える「怨憎会苦（えんぞうえく）」「愛別離苦（あいべつりく）」があり、そこから「人間関係を断ち切って修行しなさい」ということになります。

これって、違和感がありますね。

私は、もしお釈迦様に会えたら、伺いたいことがいろいろあるのですが、まずはこの「四苦八苦」についてお伺いしたいと思っています。

「生老病死」の「四苦」は理解できます。「求不得苦」は、「欲しい物が手に入らない。だから苦しむ」。これもよく分かります。そして、「存在自体が苦しみなのだ」という「五陰盛苦」も理解できるのですが、残る二つの「怨憎会苦」と「愛別離苦」がとても気にかかるのです。

「怨みがあって憎いと思うのに、嫌いな人と会わなければならない」

これが「怨憎会苦」ですが、みなさんはどう思いますか？　だからといって、会うことをやめるわけにはいかないのが現実です。

会社や学校などの組織の中に、嫌いな人がいることが原因で、出社拒否や登校拒否になることもあるのではないでしょうか。

その反対に「愛別離苦」は、「愛しい人たちと別れなければならない苦しみ」です。

お釈迦様は古い経典の中で、「苦しみが生ずるから、そもそも『愛しい人』という感情がわくような人間関係を持ってはいけない。そういう人間関係を断ち切って、ただ一人歩みなさい」ということを繰り返しおっしゃいます。

これはいったいどういうことでしょうか？

「人間関係って、本当は大切なのではないか？　たとえ修業のためとはいえ、人間関係を断ち切るというのは、私の願いとは正反対の方向だな」

と、ずっと思ってきました。

二五〇〇年も前のインドの人が、「人間関係が苦しみをもたらす」と見抜いていることはすごいことです。

しかし、人間関係は本当に苦しみをもたらすのでしょうか？

仏教を学ぶことによって、このことについて、「自分はどうだろう？」と考えていただきたいと思います。

涅槃は個人で完結する？

苦しみの中で、お釈迦様はただただお一人で修行をして、解脱なさいました。

「その解脱（涅槃）は個人で完結していいのか？」

という問題もありますが、とにかくお釈迦様は、修行を六年間なさって、「ネーランジャラー」という河のほとりで、最終的な冥想に入られて悟ったわけです。

みなさんは「無明（むみょう）」という言葉をご存じでしょうか？

根本的な愚かさのことです。「無明」であったお釈迦様が、宗教的な叡智（仏智）を得た後に、「世界は縁起という関係性で成り立っているということを見抜いた」と経典に書かれています。

ゴータマ・シッダッタという青年は、六年間の修行ののちに、宗教的叡智を獲得し、その智が働き出しました。彼はサンスクリット語の「kataṃ karaṇīyaṃ（所作已辦（いべん））」という境地に達したのです。所作とは「為すべき」ことです。已は「既に」、辦というのは「おこなう」です。

「為すべきことは既に為し終えられた（あとはこの肉体の滅びるのを待つだけだ）」という意味になります。これを「有余涅槃」といい、「まだ体の残っている状態での涅槃」です。「あとは究極の涅槃を待つだけだ」とおっしゃったと伝えられていますが、肉体が滅ぶと「無余涅槃」となり、体もなくなった究極の涅槃になります。

さて、お釈迦様はその後、さらに冥想に入りました。

究極の目的である解脱の達成を味わったのちに、さらに冥想に入っていったのです。

なぜ釈尊は教えを説き出したのか？

瞑想に入ったお釈迦様のもとに、梵天という神が現れてきて、「釈尊様、その悟られた内容をみんなに伝えてください。みんなに説いてください」と頼んだそうです。するとお釈迦様は、「どうしよう？　説いても疲れるだけだと思うが……？」そう迷われた様子が経典に残っています。

みなさんも経験があると思いますが、相手に一生懸命に説明して、「分かった？」と尋ねたときに、「なにが？」と返されるとガッカリしませんか？「説いてもどうせ分かってもらえないだろうから、疲れるだけだ」と、お釈迦様がおっしゃったのも分かるような気がします。

もちろん本当にそうおっしゃったかどうかは分かりません。経典が作られたのはずっと後のことですから、誰かが脚色した可能性もあります。

お釈迦様は、とうとう教えを説くことを決断したそうです。

梵天は、バラモン教の根本原理・ブラフマンが神になったものとされています。

梵天が「悟りを説いてください」とお願いしたことを、「梵天勧請（かんじょう）」といいます。「請」はお願いをすることで、「勧」は勧めるということですが、その「梵天勧請」の思想的な意味に関して、仏教の研究者たちがいろいろな解釈をしています。

これらのことを、「お釈迦様の精神的葛藤だった」とする研究者もおりますが、「なぜお釈迦様が教えを説くようになったのか」ということを、納得できるように説明している方はいませんでした。

中村元先生はこうおっしゃいました。

『解脱した』とおっしゃった後に、冥想に入られて、教えを説くことを決心した。このプロセス全体がお釈迦様の悟りなのだ」

この解説で私は約半分ほど納得できました。そして私はとうとう、次のように理解することにしました。

「個人的な目的は達成された。悟られる前は、お釈迦様は『人間関係が苦をもたらす』と実感なさって、そのようにおっしゃっていた。しかし、悟られてから、実際に宗教的な目覚めの目で世界を見ると（改めて世界が見えてくると）、人間関係とは、実に限りなく大事なものである」

と感じられたのではないでしょうか。だからこそ、教えを説かれるようになったのだと思います。人々に対する根本的な思いやりがあったからこそ、それが三五歳から八〇歳までの四五年間、旅をしながら、教えを説き続けたエネルギーになっていたのでしょう。

さて、最近、特に宗教者がこの議論をよくしているのですが、私が問題だと思っているのは、「縁起」ということです。

縁起とは、歴史的にもいろいろと内容が変わってきますが、すべては関わり合っているということで、これは良いことでも悪いことでもないのです。

私は、「これは事実そのものだ」と思います。だから「縁起で関わっている」ということは、良し悪しの問題ではなく、「すべての存在は関わり合っているという事実」であり、私とみなさんも関わり合っているということになります。

関係しているから憎しみ合いもするし、争いもします。ですから、「関わっているということは良いことだ」と単純にはいえませんし、「関わっているのだから、なかよくしなければ」というような簡単な話でもありません。

その関わりを醜いものにしているのは、私たち人間の自分本位な思いです。ですから逆に、「実は関わっていることにこそ、人間のすばらしさ、生きとし生けるもののすばらしさがあるのだ」という願いを持って見ていくことも、人間には可能なことです。

私たち一人ひとりが、とても自己中心的なあり方をしているのですから、かなり難しい問題なのです。

解脱する前の釈尊の目には、「凡人の私たちの世間的な知で生きていると、人間関係は苦しみをもたらす」と見えたのに、悟られた後の釈尊の目には、「関わり合って存在し、生きていることは、本来はかけがえのない素晴しいものなのだ」という真実が見えてきたのではないでしょうか。

それこそが「人間関係の再肯定」であり、釈尊が教えを説きだした理由ではないかと思うのです。

分別と無分別

別のお話になりますが、仏教を研究するために、とても大切な「分別」と「無分別」について解説したいと思います。

通常、「分別」というと、「おまえは分別がない」といった使い方をしますが、仏教用語としては、私たちがものを認識することをすべて「分別」といい、言葉による思考、言葉を使って考えることがすべて「分別」になります。他方、「無分別」とは、「仏様の智」のことになります。

また、私が仏教を勉強してからずっと気になっている言葉に、「般若」というものがあります。「般若心経」の「般若」で、サンスクリット語の「プラジュニャー」を音写した言葉です。宗教的な「叡智」のことですが、先ほど説明した「無明」の反対語の「明」です。

「般若とは何だろう?」と、仏教を勉強し始めたときから気になっていました。

定義では「般若の智は無分別智だ」ということになっています。そうすると、「般若」ではない普通の知は「分別」であるということになります。

「分別的な知」というのは、私たちは言葉を使って、「これはこうだ」「あれはああだ」、と世界をすべて名前づけして、一つひとつ孤立したものであると考えます。バラバラにして境界線を引くのです。「分別する」という語感からしても、そうした意味が私たちにとっては当たり前のことのように思えます。

ところが、「仏教的な叡智」はそうではありません。サンスクリット語という古いインドの言葉では、仏様の智はどういうものかというと、「ヤターブータン・プラジャーナーティ」といいます。「如実に見る」「あるがままに見る」という意味です。

「みなさんは世界のことをあるがままに見ていますか?」

突然、そう聞かれたら、「当たり前です!」と答えると思います。

私たちは、世界をちゃんと見ていると思っています。でも、仏教の考え方では、あるがままには見ていません。自分の都合がいいように見ているのです。

例えば、小さな子どもが幼稚園で絵を描いて、

「パパ、ママ、おじいちゃま、おばあちゃまの絵を描いたよ!」

と、家に持って帰ってきたとします。幼児が描いた絵ですから、顔がとても大きく、体は小さいおかしなバランスになっているでしょう。でも、誰もが、「よく描けているね」と褒

めてあげるのではないでしょうか。

ほとんどの小さな子どもは、同じような描き方をしますが、彼ら彼女らがそんな描き方をするのは、彼ら彼女らの目（あるいは頭の中）には、そのように映っているからに違いありません。

小さな子どもは目に見えたままを絵にしていますから、本人は、「上手に描けているのだから、褒めてもらえなければおかしい」と思っています。そして人は、大人になると「普通」の絵を描くようになります。

みなさんは、いつごろから、「普通」の絵が描けるようになりましたか？　小学校六年生くらいでしょうか？　そのころ、あなたは何か悟ったのでしょうか？

おそらく、いろいろな経験や学習をすることによって、「人間の顔はこういうものだ」というものを自分の頭の中で作って、「人を描くときには、こんなふうに描かなければいけない」という、「常識という固定観念」が確立してしまったのです。ですから、「いつから描けるようになったのか？」と聞かれたときに、はっきりと答えられる人はいないのだと思います。

そう考えますと、みなさんの「今、あるがままに見ている」という自信は、少し揺らいでくるのではありませんか？

「存在しているものと合致しているかどうか」ということは、基準がないから、実は分からないのです。存在そのものを見て絵を描いても、自分の都合がいいように見ているために、存在しているものと自分が描いた絵とが、合っているかどうかなんて分からないのです。「分別」なんて本当はこんなものなのです。

また、幼児が口を大きく描くのは、お母さんが話している口もとを一生懸命見るからでしょう。目を大きく描くのは、お母さんの目をよく見つめているからに違いありません。

同じものを見ていても、人は自分の都合で自分勝手に見て解釈しています。ですから、人間である限り、宗教的叡智を獲得しない限りは、私たちは「分別的なもの」の中でしか生きていないことになります。

親鸞聖人は「分別」という言葉をあまり使わず、「はからい」とおっしゃっています。「はからい」が「分別」ということです。ただし「御はからい」というふうに、御の字をつけると別物になります。「御はからい」というのは、阿弥陀様のはからいのことで、「不可知」「不思議」「不可思議」のことになります。

親鸞聖人の書かれた書物には、「不思議」「不可思議」という言葉が多く出てきます。「思議」というのは人間的な考えですから、「不思議」はすばらしいことを形容する言葉なのです。「人間の考えでは、「思議（分別）」ができない」ということです。

『歎異抄』の最初に、「弥陀の誓願(せいがん)不思議に助けられまいらせて」とあります。「阿弥陀様の誓願は人知でははかりしれない」

究極のところ、人間の「はからい」では分からない大きな力に助けられて、「往生をばとぐるなり」となるわけです。

大乗仏教の出現

お釈迦様の悟りが「私は悟った」というところで終わっていれば、「個人で完結した」ともいえたでしょう。ところが、お釈迦様は説法を開始したのです。そしてお釈迦様が亡くなって四〇〇年ほどすると、大乗仏教が出てきました。

「大乗仏教はなぜ生まれたのか？」

このことが私を悩ませました。

そして、驚くべきことに、大乗仏教が生まれたときに、新しい経典も作られたのです（キリスト教の宗教改革のときには、新しい聖書が作られることはありませんでした）。

親鸞聖人がもっとも大事になさった『無量寿経』ですが、これはお釈迦様が亡くなられて四〇〇年ほどしてから、この世に出現しました。ですから、歴史的にはお釈迦様は『無量寿経』をご存知ないことになりますが、実は「お釈迦様はこのことをご存知なのです」ということになっていますから、このあたりはたいへんややこしいのです。

「とても強い大きな思いがあったからこそ、新しい経典が作られたのだろう」

と私は思っていますが、いろいろな大乗仏教の研究書を見ていきますと、「原始仏教のお釈迦様の教理（教え）と、大乗仏教ではこのように変わった」などと書かれてあります。「教理」といった専門的な言葉が変わっていくのは、調べれば分かるのですが、「どうして同じ言葉を使って、意味内容を変えていったのかという議論がきちんとなされていない」と、私はずっと思ってきました。

「ならば仕方がない！　自分で考えよう！」

ということで、私はいろいろな大乗の経典を読みました。そこで、気づいたことがあります。「一切衆生（サルヴァサットヴァ）」という言葉が、大乗仏教ではとても強調されて、経典にたくさん出てくるのです。その意味は「生きとし生けるもの」のことですから、教理的にはなんの意味もありません。ところが、私にとっては決定的に大事なことでした。

「なぜ大乗仏教は、『一切衆生』という言葉をたくさん使うのだろうか？」

「慈悲」や「利他行」を強調し出したのは、実は大乗仏教ですが、このことについてはいろいろと研究されつくされています。「慈悲」や「利他行」には相手がいるわけで、その対象となるのが「一切衆生」＝「生きとし生けるもの」なのです。

お釈迦様が亡くなって四〇〇年ほど経った、紀元一世紀頃の西方の地中海世界を見てみますと、「イエス」が登場してきます。

イエスが活躍したのは、紀元一世紀の前半ぐらいです。あの方が一番強調したのは、「隣人愛」です。大乗仏教の「慈悲」に対して、西方では「隣人愛」が出現しました。「隣人愛」の根拠となりますと、またいろいろと面倒なことになるのですが、ギリシア思想や旧約聖書の世界から、イエスが見いだしたのではないかと思います。

ギリシア思想は「個人探求」を目的にします。お釈迦様も、ある意味では個人探求です。ところが紀元一世紀になると、「他者との関わり」「ともに生きていることの大事さ」に人間が気づいたのではないかと私は考えました。

「人の一生は人類の歴史を縮尺したようなものだ」と聞いたことはないでしょうか？

命が生まれる。自我に目覚める。そして、お釈迦様やギリシア哲学の議題である自己探求をし、神や、永遠の真理に出会う。そして少し大人になって、他者に気づき、人を愛することを知る……。あまりにも単純化しすぎていますが、「人を愛すること」「人との関わりを大事にすること」を改めて知るわけです。

子どもの頃は、人との関わりは無条件でした。お父さん、お母さんに愛されていました。それから自立し、主体的に生きていく人間として自立し、さらに他者と改めて出会っていくのです。

お釈迦様の時代と、大乗仏教の時代との関係も、私は同じようなことだと思っています。地中海世界でもそうだったと思います。

もちろん大乗仏教は、お釈迦様の教えなしには成立しません。そのことをベースにしながら、もう一つ根本的に大事なことに大乗仏教は気がついて、教理的にもそれを解釈し直していったのだと思います。

「利他行」や「慈悲」というのは、今の私たちには大げさ過ぎるかもしれません。しかし現代的にも、「ともに生きる」とか、「人のために生きる」、そんな気持ちが実は根底にあるように思います。「一切衆生」という「ふつう」の言葉が、とても大切なことを示しているのです。

私たちはみな菩薩

法蔵菩薩をご存じでしょうか？

阿弥陀様が、仏様になる前、菩薩として修行中だったころのお名前です。もしみなさんが浄土真宗に詳しい方なら、注意していただきたいことがあります。菩薩は、法蔵菩薩だけではありません。仏教に関心を持たれているという方々はみな、菩薩様です。仏道を生きていこうという人はすべてそうです。

大乗仏教には菩薩のいろいろな定義の仕方がありますが、仏道に少しでも関心があるだけでも、やはり仏道を歩み始めているのですから、無条件に菩薩なのです。

ですから、「法蔵菩薩だけが菩薩だ」なんて思わないでください。

「菩薩はとても大変な修行をしなければならない」といった話ではありません。私たちはみんな、浄土真宗的にいえば「凡夫菩薩」です。煩悩を抱えたままでも菩薩なのです。

余談になりますが、浄土真宗では新発意菩薩（しんぽちぼさつ）と呼ばれる人がいます。新たに菩提心を起こした人たちのことで、住職の跡継ぎさんのことを「新発意さん」と呼んでいます。

大慈と大悲

仏教には「慈悲」という言葉があります。

「慈」と「悲」を合わせた言葉で、「大慈大悲」といわれます。大慈が「マハー・マイトリー」、大悲が「マハー・カルナー」の訳です。本来二つの別々の言葉を合わせたものです。

「『大慈』と『大悲』ではどちらがお好きですか？」

ある講演で参加者のみなさんに聞いたことがあるのですが、「大慈が好き」という方が圧倒的に多くいらっしゃいました。

「大慈」とは、仏様が私たちに手を差し伸べて下さり、「何か助けてくれそうだ」というイメージがあるようです。これに対し「大悲」の方は、「私たちを悲しんでくれているだけで、何もご利益がなさそうだ」というイメージがあるようです。

ですが、他の宗教で、「神様が私たちのために悲しんでくださる」ということは、ないのではないでしょうか。

法蔵菩薩は、「世自在王仏」という仏様のもとで出家なさって、四十八の願いである「四十八願」を立てました。

「生きとし生けるものが、いろいろなことで嘆き悲しんでいる世界」をご覧になったときに、あまりにもその悲惨な状況を悲しまれて、それが「大悲」なのですが、「それでは手を差し伸べましょう」と、「大慈」の仏へと踏み出されました。法蔵菩薩は、「悲しみの心」で動き出したのです。

仏教の「慈悲」とは、「悲しみ」を含んでいるということを、ぜひ心にとめておいていただきたいと思います。仏様は、私たちの一人ひとりのことをご覧になってくださって、悲しんでくださっているのです。

四十八願を立ててくださって、救ってくださっていることを考えますと、私は思わず、「本当にありがとうございます！」と言いたくなるのです。

本願と誓願

「願」には、「本願」と「誓願」の二種類があります。

「本願」の原語は「プールヴァ・プラニダーナ」で、「誓願」の原語は「プラニダーナ」です。

「プールヴァ」とは、「過去世」という意味であり、「本願」とは「仏が過去（菩薩だった時）に立てた誓願」という意味になります。ですから、法蔵菩薩の場合は「誓願」しか使いません（阿弥陀様の場合は、「誓願」と「本願」のどちらも使います）。「本願」とは、「昔立てた『誓願』が、今ではもう実現している」ということを暗に示しているわけです。

この「本願」と「誓願」のことは、どの本にも書かれていないと思います。新しい観点といっていいのかどうか分かりませんが、「経典で使い分けがされている」ということだけで、これが浄土真宗本願寺派の正式な見解ではありません。

なぜ「本」という、字を使っているかというと、すでに実現してしまっているからです。もし誰かに、「親鸞様はどんなことを考えた方ですか？」と聞かれたら、「本願」と「誓願」との意味の違いをお話しするだけで十分なほど、私は大切な言葉だと思っています。

大乗仏教の思い

「親鸞聖人や法然上人の教えとはどのように理解されているのだろう？」

ということを考えますと、

「念仏をとなえるだけで、死んだ後に浄土に行けると説いた人」

と思われているのではないでしょうか。仏教に興味のあるほとんどの日本人はそう考えていると思います。

「禅宗でも、浄土宗、浄土真宗でも、みんな個人的な思いで修行をしたり、お念仏を唱えたりしているのだろう」

と思っているのではないでしょうか。

山口瑞鳳先生という、チベット学のすばらしい先生がおっしゃっておりました。

「日本の仏教は、看板は大乗のくせに中身は小乗だ。大乗の本当のエッセンスは、『人とともに』ということのはずなのに、今の日本の仏教は建前だけが大乗で、中身は『自分さえ悟ればいい』『自分さえ救われればいい』と考えている」

この言葉は、「日本の仏教の弱点」を表しているように感じます。

インドの大乗仏教の精神が中国に入ってきたときに、すでに中国では、『経世済民（世界の人々を救済する）』は、儒教の役割である」

という建前があったのです。

そこで、仏教を学ぶ人は、個人的な「魂の救済」「心の安らぎ」を求めるようになったのではないでしょうか。そして、それがそのまま日本に伝わって、現在につながっているのかもしれません。

私の師匠である玉城康四郎先生は、こんなことを言っていました。

「キリスト教が優れているところは、愛が他者へと向かっていく『隣人愛』といっていい。

神様からの愛が人への愛に変換されていくのだ。一方、仏教の優れているところは、どこまでも『自己を探求』し、自己の在り方を見つめていくところだ」

基本的に私もそう思いますが、「大乗仏教の思い」というのは、少々、構造的に異なっていて、「ともに」という感覚が入っていると思います。

残念なことですが、大乗仏教が登場してから二〇〇〇年間、「知的な探求」は進んでいるように思いますが、慈悲の思想はあまり深められてきたとはいえません。

親鸞聖人の他者意識

親鸞聖人は九歳で得度されて、二九歳で比叡山を下りました。山を下りた理由はいろいろと考えられていますが、「親鸞聖人は自力の道をあきらめて山を下りた」という理由には納得できません。比叡山で修行をして、自ら悟っていく人たちがいるというのに、「自分は無理だから山を下りた」、そんな残念な話ではないと思います。

では、親鸞聖人はなぜ比叡山を下りたのでしょうか？

本当のことは、ご本人にお伺いしなければ分かりませんが、

「どんな人でも救われるような道はないのか？」

「誰もが仏になれる道を探っていこう」

と考えられたのだと思います。

私が興味深く思うのは、親鸞聖人が、「煩悩成就の我ら（私たち）」とおっしゃっているところです。世界の宗教者や思想家で、主語として「我ら（私たち）」という言葉を使っている人は、ほとんどいないと思います。デカルトの「我思うゆえに我有り」が有名ですが、やはり「我」だけが主体になっています。

親鸞聖人は、「みんな同じなのだ」「ともに生きているのだ」という意識が、とても強いことがわかります。

親鸞聖人には、恵心尼という奥様がいました。その奥様が書かれた手紙が残っています。それによると、親鸞聖人は四二歳の頃、「衆生利益のために、浄土三部経を一〇〇〇回読むぞ」という誓いを立てました。ところが、途中でやめてしまいます。

その理由を、「自力の道に頼ってしまったのを反省して読誦（どくじゅ）をやめた」と述べています。多くの研究者たちは、「こうやって自力の道を否定しているのだ」と言っておりますが、「衆生利益のために」という思いを持っていたところに、大きな意味があるのです。

二九歳で法然聖人を通じて、阿弥陀様と出会ってから亡くなるまで、「人々とともに」「人々のために」という思いを、ずっと持たれていたのではないかと私は考えています。

また、門徒に宛てた手紙の中に、「浄土の真宗は大乗の中の至極なり」という言葉があります。

「浄土を真実とする教えは、大乗仏教の中の究極のものである」

とおっしゃっているのですが、これもまた難しい言葉です。

「大乗の究極」とは何でしょう?

簡単に申し上げますと、「ともに生きる」という言葉で表現できると思います。

親鸞聖人が、具体的に「利他行」などをしていたのかどうかは問題ではありません。「ともに生きている」という基本的な生き方の姿勢なのです。

閉じられた自己から、開かれゆく自己へ

「自己中心的」「無明」「煩悩」という言葉は、いずれも「閉じられている」という響きがあります。

「体の中に自己が閉じ込められている」

といった感覚でしょうか。

お釈迦様の悟りは、「涅槃」や「解脱」など、いろいろな表現がされますが、ここでは「無我」という言葉で考えてみたいと思います。私なりに理解している「無我」とは、「『硬い核になっている私』という意識が、崩壊してくる」ような感じです。

アインシュタインが言っています。

「人間とは、自然の中の一部の存在でしかない。それなのに、自己意識、自分という意識を持ってしまっている。それが牢獄になって、一人ひとりを閉じ込めている。私という意識、その牢獄から解放されない限り、人類の未来はない」

お釈迦様と同じことを言っているように思います。「無我の思想」とは、一般的によく言われる「無我になりきる」ということとは違います。「閉じられている私」が開かれていくのです。

では、私たちの立場としては、どのように考えたらいいのでしょう？

「仏様のような人知を越える大きな存在や、その「はたらき」に出会うことによって、自分という核にヒビが入って、徐々に、そして自ずから開かれてくる」

と考えたらいかがでしょうか。

それでもまだ私たちは、常に自己中心的に閉じようとします。そこでまた、外からの力が働いて、いやでも開かれていくのです。

「仏様に出会う」「仏法に出会う」ということは、自分に都合のいい分別的なメジャー（測り）だけで生きてきた私たちが、「仏様のメジャーをいただく」ということだと思います。

葛藤を続ける

私は、「人間というものは葛藤し続ける存在なのだ」と考えています。

「理想通りに生きていきたい」「でも上手くできない」「でもそこで放棄したくない」……。

まさに人生とは、葛藤そのものです。

私は三〇歳の頃、ある思想的な問題を抱え込み、一〇日ほどでしょうか、正座をしたり座禅をくんだりしていました。そんなとき、ふいに、「そのままでいい」という声が聞こえたのです。

簡単に解決できるような課題に悩んでいるときでしたら、「そのままでいい」と言われるのも分かりますが、苦しんでいるのに「そのままでいい」と言われても意味が分かりません。ただ、そのときに私は、神様の愛なのか、仏様の慈悲なのか、よく分からないのですが、「ある力」を感じたのです。

「世界中の人が自分に背を向けたとしても、自分には力が注ぎ続けられている」

と感じたのです。そして思ったのです。

「ああ、これは私だけでなく、すべての人がこのようなエネルギーを、愛を、慈悲を注がれているのだな」

このときはそれだけの感覚でしたが、少し経ってから、はっとしました。

「どんなことがあっても、こうやって見ているから、おまえは安心して葛藤しろ」そう言ってくださったのだと納得できたのです。この経験がないままずっと葛藤していたら、やりきれなくて、生きていくのがつらくなっていたかもしれません。

「いつもこうしてエネルギーを注がれているのだ」

そう実感すると、葛藤はなくならないものの、つらいものではなくなります。

摂取不捨

そんな経験をしてから何年か経って、親鸞聖人の著作を読んでいたら「摂取不捨」という言葉が出てきました。

「すべての衆生を摂め取って、捨てることはない」

この言葉を読んだとたんに、「ああ、そういうことか！」と思いました。その意味がわかったとたん、「私のようなものまで見てくださっているのだ。本当にうまく表現してくださっているな」と思ったのです。

現在、国連が掲げている重要課題が「SDGs（Sustainable Development Goals）」として表されてます。世界的な目標を持って、国連が全世界の持続可能な開発のために、一七のゴールを策定しました。この課題の合い言葉が「no one will be left behind」ですが、「no one（誰一人）will be left behind（取り残されない）」という意味です。

浄土真宗では、「阿弥陀様によって摂め取られる」と考えていますが、国連の場合は、「お互いが取り残さない」ということですから、関係性は少々異なります。

国連自体、いろんな政治的な意味合いがあって、難しいことがたくさんあると思いますが、それぞれの国が、国境線、国単位の考え方で活動しているときに、国連がそんなすばらしい合い言葉を作ったのです。

でも、実は仏教では二〇〇〇年前から言われていたことなのですが。

私はすでに七〇歳を過ぎました。

なかなか実感を伝えることは難しいことですが、私は「摂取不捨のメッセンジャーになりたい」と思っています。

いろいろなことを知的に学ぶことは、すばらしいことです。学んで、議論して、それがだんだん自分の中に蓄積されていく……。しかし、お釈迦さまのように悟ったり、救われているという思いをなかなか実感するまでには至りません。

そんなときには、お寺でも、教会でも構いません。機会があるごとに、宗教的な空間に行っていただけたらと思います。

宗教的な雰囲気の中で、自由に物事を考えると、普段とはまた違う考え方に出会えるかもしれません。

そしてその出会いが、みなさんにとって新しい人生の拠りどころとなるかもしれません。

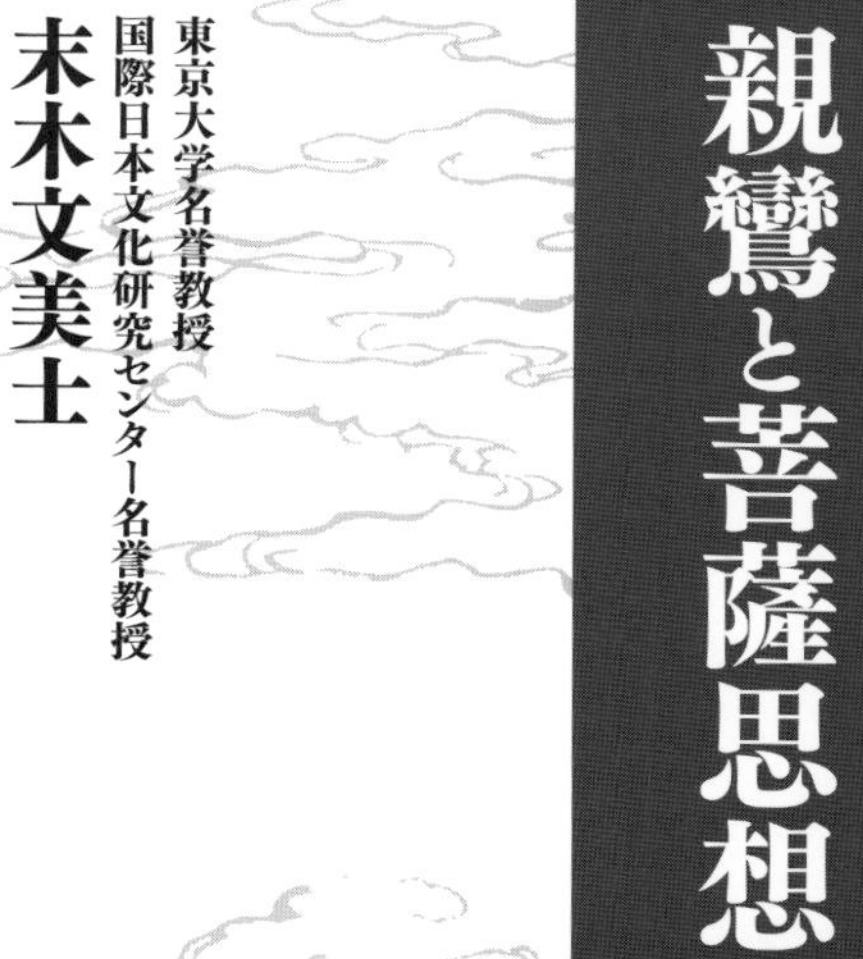

親鸞と菩薩思想

東京大学名誉教授
国際日本文化研究センター名誉教授
末木文美士

「他者とともにあり、他者とともに幸福になりたいと願う」

それが菩薩の原点です。

「菩薩思想」という観点から親鸞の思想をとらえ直してみます。

末木文美士
1949年山梨県甲府市生まれ。東京大学大学院博士課程単位取得退学。博士（文学）。東京大学名誉教授、国際日本文化センター名誉教授。著書に『浄土思想論』（春秋社、2013）、『『親鸞』研究（ミネルヴァ書房、2016）など多数。

大乗仏教の根幹としての菩薩思想

私は「菩薩思想」という考え方こそが、大乗仏教の根底にあるものだと思います。一言でいえば、「他者とともにある」という考え方です。

初期の仏教では、悟りは個人個人で目指すものでした。修行者や僧たちは、サンガという共同体に属してはいても、「サイの角」のように、ただ一人で修行の道を進んでいきます。

後の大乗仏教とは異なり、ここには「他者」という要素はありません。他者と関わることは、「愛憎離苦」や「怨憎会苦」などの苦の原因となり、修行の妨げになる「邪魔なもの」でした。

ところが、大乗仏教に「菩薩思想」が生まれます。

現世の仏陀は、前世では修行に励む菩薩であって、「布施」「持戒」「忍辱（にんにく）」「精進」「禅定（ぜんじょう）」「智慧」の「六波羅蜜」の徳目を積むことで成仏し、仏陀になるとされています。

「六波羅蜜」の中でも、特に重視されるのが「布施」です。他者の求めに応じて、物質的なものだけでなく、さまざまな精神的な贈与まで行うことをいいます。

菩薩とは、他者を救済するために布施をほどこす利他行の実践者であるわけですが、利他の実践には他者が不可欠です。

大乗仏教では、「菩提心を起こしさえすれば、現世で衆生はだれでも菩薩になることができて、来世で仏陀を目指せる」と考えられるようになりました。

つまり、菩薩の原理とは、「他人とともにある」という利他の思想であり、「現世だけでなく、それを超えて、前世から、来世まで及ぶ倫理である」ということになります。

『法華経』によると、悟りの世界に行くための乗り物である、「声聞乗（しょうもん）」「縁覚乗（えんがく）」「菩薩乗」の三乗には区別がなく、「ただ仏乗の一乗のみである」とされています。

修行者や僧でない衆生でも菩薩ではあり得るので、仏乗とは実質的には菩薩乗にほかならないわけです。ですから、『法華経』の中心思想の一つが、「一切衆生は菩薩である」という考え方にあるといわれます。

すると、「自分は衆生だけれど、自分も菩薩といえるのか?」という問題が出てきます。

私自身に関していえば、「とてもそんなことがいえるわけがない」とためらうところもあるのですが、お経にそういわれている以上、「自分も菩薩である」と認めないことには話が進みません。ですから、「私も菩薩」ですし、「この本を読んでいるみなさんも菩薩である」ということになります。

私が菩薩について考えるようになったきっかけが親鸞でした。ところが、「親鸞と菩薩を結びつけるのには、少々無理があるのではないか」という説もあります。他力・自力の問題があり、利他行の実践が浄土真宗の他力本願の宗旨（しゅうし）に相違して、自力に見えてしまうからです。

この点に関しては、浄土真宗の中でも意見が分かれていて、東本願寺の大谷派と西本願寺の本願寺派でも、かなり異なるようです。

以前、大谷派の先生から「親鸞さんが、『自分は菩薩だ』なんていうはずがない!」と叱責された一方で、本願寺派の先生からは、「ああ、私もそう思います」と意外にすんなりといってもらったことがあります。

なぜ親鸞に惹かれたのか?

私が初めて親鸞の思想に触れたのは、学生時代のことでした。

当時、大学に早島鏡正先生という方がいらっしゃいました。先生はパーリ語の原始仏教が専門でしたが、浄土真宗の寺の住職でもあり、親鸞の講義をなさっていて、私はこの早島先生から『教行信証』の講義を受けました。

当時は、それまでなかった日本仏教の専門コースができて、田村芳朗先生が赴任されました。私は田村先生について学ぶことになったのですが、当の先生は日蓮信仰の方でした。「親鸞という人物はとても複雑で、そう簡単には学ぶことができない。まずは親鸞の先生である法然から始めなさい」

そう田村先生にいわれたことがキッカケで、私の研究の出発点は「法然」になりました。

思えば、それから親鸞の本を書くまでに四〇年もの歳月がかかりましたが、それが拙著、『親鸞』（ミネルヴァ書房、二〇一六年）です。

本を出したことによって、「親鸞に思い入れがあるんですね」とか、「よほど親鸞が好きなんですね」などといわれるのですが、私としては親鸞だからといって、特別視するわけではありません。誰もが真剣に生きている、その点では同じです。私は、歴史に残らず、名前も知られないような人物に心を惹(ひ)かれます。

仏の道を求め、悩んでいく。そんな大勢の人たちが一生懸命に生きて、そして死んでいく。それが本当の歴史だと思うのです。「有名だから偉い」とか、「歴史に名が残っているから偉い」ということではありません。

「有名ではない人が、実はすごい」という例を挙げましょう。これは『方丈記』の一節です。

「仁和寺に隆暁法印といふ人、かくしつつ、数も知らず死ぬることを悲しみて、その首の見ゆるごとに、額に阿字を書きて、縁を結ばしむるわざをなむせられける。人數を知らむとて、四五両月を数へたりければ、京の中、一条より南、九條より北、京極よりは西、朱雀よりは東、道のほとりなる頭、すべて、四万二千三百あまりなむありける」

時代は平安末期の、一一八一、二年くらいだと思います。戦乱、そして大地震や水害などでいきました。

の天災が続いて、都が荒廃していき、京都の町の中でも、飢饉でバタバタと人が倒れて死ん

そのころ、仁和寺に隆暁という人がいました。貴族の出身ですが、それほど身分は高くありません。その隆暁が仲間とともに、亡くなった人たちの額に阿字を書いていったというのです。阿字というのは、サンスクリットを表記する梵字の最初の文字です。密教では、万物の根源、悟りの究極を表すものとして、とても重要視されています。

その阿字を亡くなった人の額に書くことで、亡くなった人が悟りの世界に達するようにしたのです。なんと四万二千三百余りの人に対して供養を行ったとあります。

飢饉で亡くなった方の遺体ですから、苦しげであったり、腐敗も進んでいたりと、むごい状況であったと思います。そんな中で、お一人お一人のご遺体を丁寧に弔ったのです。

実は鴨長明は、この隆暁という人の行ったことを褒めているわけではありません。『方丈記』は、「これほど大勢の人が亡くなった」「これほどひどい災害だった」という無常観の方が主題となっています。

私も『方丈記』を初めて読んだときには、このような部分を読み飛ばしていたのですが、神道の鎌田東二さんという方から教えられて、すごいことだと気づきました。

そして、同じようなことが、二〇一一年の東日本大震災の際に起こりました。

石井光太さんという方が、『遺体 震災、津波の果てに』というノンフィクションを書かれ

たのですが、その本を原作にして、西田敏行さん主演で迫力ある映画『遺体 明日への十日間』が作られました。

大勢の方が震災で亡くなったときに、石巻の安置所に多くの遺体が運び込まれましたが、役所の職員たちはこれほど多くの遺体を扱った経験がないので、どうしていいのか分かりません。見つけ出された遺体は、安置所のボランティアに志願した主人公である、西田敏行さんのところに搬送されました。

主人公は以前、葬儀社にいて、今は民生委員をしているという人物です。その人が亡くなった人の尊厳を大事にして、お棺に向かって「一人でさびしかったねえ」「よく、がんばった」という具合に、一人ひとりに語りかけるのです。身元が分からないので、歯医者さんが一人ずつ口を開けて、歯を調べてカルテと照合し、その人の身元をつきとめていきました。安置所では、そのような作業が黙々と行われていたのです。

亡くなった人たちを、一人の大切な人間として、どうにかして供養しようとするところがクライマックスでした。

それを見て、『方丈記』に書かれたようなことが、つい最近、起こっていたのだということを実感しました。昔も今も全く同じなのです。

映画で歯医者さんが、ご遺体の身元を照合していったのは、この方が特別偉い人だから行ったわけではありません。自分の仕事として、義務としてやらなくてはならなかったわけです。そういう意味でいえば、「大変なことが起きたから、非常時になったから、なにか特別なことをしよう」とするのではなく、「日常の生活、営みの中で仏に出会う行為をしていくことが大切ではないか」と思うのです。

ですから、特別に名前が残った人だけが偉いわけではありません。親鸞だけが特に偉いわけではなく、その陰には名前も知られずに活動をされていた人が大勢いたはずです。「そんな人たちが、親鸞より価値がないのか？」ということは絶対にありません。このような理由から、私は親鸞だけを特別視することができないのです。

私は『源氏物語』が大好きで、今でもよく読んでいます。ご存じのように、作者は紫式部です。作者複数説もありますが、全体的に流れが通じているので、私は一人で書いたのだろうと思っています。当時は紙が貴重な時代でしたし、一人で五十四帖もの長大な小説を仕上げることは、なかなかできなかったことでしょう。あれだけの作品を書くのですから、まさしく天才だと思います。

『源氏物語』の価値は、「紫式部という天才が、とても長大なものを書いたから偉いのだ。だから『源氏物語』はすばらしいのだ」ということではありません。

フィクションであるにもかかわらず、当時の貴族社会に生きる人たちの本当の息づかいがその中に描きとめられていて、「当時の人びとは、このような世界に存在していて、このようにして毎日を過ごしていたんだな」というようなことが見事に描きつくされているので、おもしろく、すばらしいのです。

親鸞の偉大さ

親鸞が活動したのは、『方丈記』に描かれている時代から、ほんの少したったころです。戦乱や災害があって、大勢の人が亡くなって、いろいろなことが起きたなかで、親鸞の思想や、仏教への考え方などがまとまっていったのではないでしょうか。

「仏教とはどんなものなのか？」

そのことを考える手がかりとなるものを、親鸞は自分なりに摑んでいったのです。そして、インドの思想を手引きにして、「なるほど、仏教はすごい！」と実感して、その構造を明確にしていきました。

親鸞は、『教行信証』をまとめていくなかで、仏教のあり方、仏教者のあり方、信仰者のあり方を明確に言語化されました。後の人びとは、それを手がかりにすることで、仏教の構造がよく分かるようになりました。

私が親鸞を理解できるようになったのは、それほど昔のことではありません。「それまではよく分からなかった」というよりも、「長い時間の中で、次第に理解が深まった」といった方がいいかもしれません。

親鸞の教えでよく知られているのは『歎異抄』ですが、初めて読んだときから、私はそれほどおもしろいとは思いませんでした。有名な「悪人正機説」など、いったいどこがすばらしいのか私には分からなかったのです。「往生」とは、「現世を去って浄土に生まれ変わること」ですが、「悪人こそが往生を遂げる」なんて、いささか悪趣味な発想ではないでしょうか。私たちはよいことばかりしているわけではありませんが、それでも悪人とはいえないでしょう。

『歎異抄』を全て否定するわけではありませんが、私は『歎異抄』をベースにして親鸞を理解するのは間違いだと思っています。

『歎異抄』を書いたとされる、唯円という親鸞のお弟子さんは、おそらくあまり仏教の知識を持っていなかったのではないでしょうか。かなり間違いが多いように思います。

唯円は、一生懸命、親鸞を見極めようとして、師の親鸞がなにをいい、なにをしたかを、ひたすら見つめて記録し、を分別し、それを編集して『歎異抄』にまとめました。ですから、『歎異抄』は、親鸞そのものではなく、「唯円という人が親鸞からなにを学び取ったか」を書いたものです。

それなのに、唯円という人を抜きにして、「この中に親鸞の考えが書かれている」とするのは違うように思います。

あくまでも『歎異抄』は、「親鸞に対する唯円の受け止め方」を書いたものなのです。

往相廻向と還相廻向

「『教行信証』は、引用ばかりでおもしろくない」

という方がいらっしゃるようです。

親鸞は、さまざまなお経や論書を引用しながら、その中に少しだけ自分の考えを述べています。それが「おもしろくない」と思われる原因だと思います。

以前、早島鏡正先生から親鸞を習っていたころには、私もそう思っていました。それでも、一〇年以上もかかって、その本のしくみが少しずつ分かってくると、「ああ、そうか！」と思うようになりました。

『教行信証』は、その根本的な構造を理解した上で読まなければダメなのです。

専門家でもその構造を十分に考えずに、「ここがすばらしい」と思うところばかり取り上げて、自分勝手に読んでいたために、『教行信証』の全体が摑めていなかったのです。

『教行信証』には、きちんとした全体像があります。非常に重厚で、くっきりした構成があり、明確な意図のもとに書かれています。その親鸞の意図した通りに、意図した方向に向かって読まなければならないのに、それができていなかったのです。

『教行信証』は、「往相廻向と還相廻向の二種廻向」という構造に基づいて書かれています。つまり、親鸞自身が、「往相と還相がいちばん大事ですから、それに従って論じていきます」といっているのですから、それに従って読まなければならないのです。

「往相」とは、私たち衆生が仏の世界に行くことです。行く道が「往相」で、反対に、仏の世界からもう一度この世界に還ってくるのが「還相」です。「往相・還相論」によれば、「行って、還って」という往復活動をすることになりますので、仏の世界に行ったからといって、この衆生の世界を捨ててしまうわけではありません。

単純にいえば、「仏の世界へ行き、仏の世界からまた戻ってくる」という重層的な構造であるということですが、実はそこにはいろいろな問題があります。

まず一つは、「それが自分一人の力でできることではない」という点です。つまり、「他力」ということです。自分でできると思っていても、実際には自分の力ではありません。

例えば、『方丈記』に書かれている話でも、個人の力によって、「亡くなった人が成仏する」、または「成仏させる」というわけではありません。もっと大きな力が働いて、その大きな力の中で、「初めて自分の働きが出てくる」という基本的な構造を持っています。それを「他力」と呼びます。

ですから、「自力ではなにもできない」ということになります。なにかできるとすれば、「そうなるように、自分に対して仏の力が働いているということを意識する」ということだけです。また、その働きのなかには、「行って還る往復運動」がありますので、「この人生だけ」「この世だけ」という問題ではなく、「死後の問題も含んでいる」というメッセージがその根本にあります。

私たちからすれば、「この世で全てが完結する」と思いがちですが、そうではありません。「この世で果たしきれない意思や願いが、死後にも続いている」ということが、大きなメッセージなのです。

そしてこの「死後」ということが、私にとっては大きな問題でした。私が勉強をしていた若いころは、「仏教とは死後のことには関わらないものだ。輪廻とか、生まれ変わりなどというのは方便であって、仏教がよく分からない人びとを導こうとするものである」といわれていました。

往相・還相論の根幹

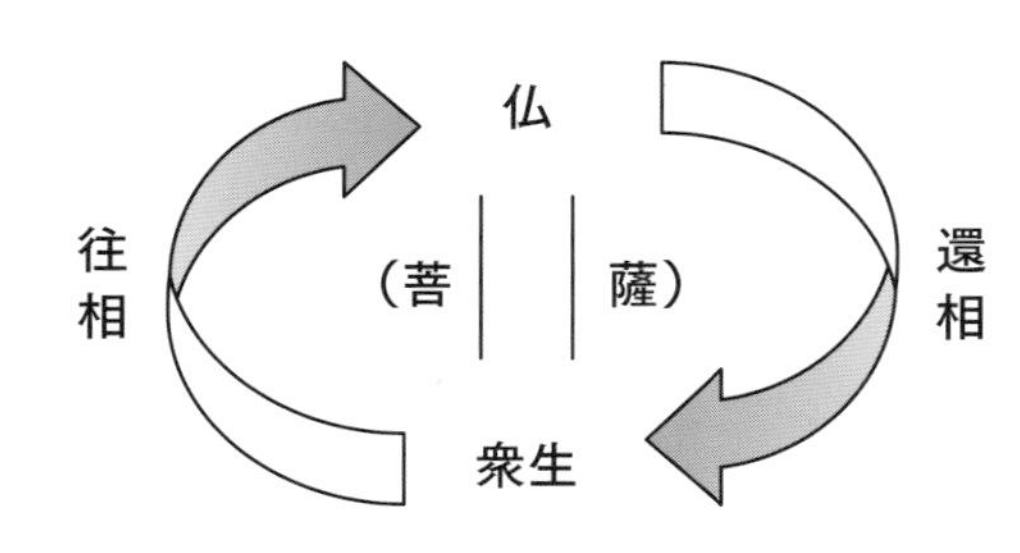

「仏教とは、今生きている人のために、正しい生き方を説くものだ」と考えて、「死んでからのことは問題ではない。葬式仏教なんて方便にすぎない」と偉い仏教学者たちも主張していたのです。

私はそれに違和感を覚えながらも、はっきり批判できる確信はありませんでした。

「即得往生」は間違い？

ところが二〇年ほど前から、「やはり仏教は亡くなった人と関わっていくものだ」と確信するようになりました。私の講演を聞いてくださる方々の年齢がだんだん上がってきて、私も自分の先のことが、そろそろ気になってきたからかもしれません。「私たちが死んだらそれですべて終わり」というのでは、やはり少々寂しいような気がします。

実は親鸞が非常に深く追究したのが、「現世とは？」「来世とは？」「往生とは？」ということでした。

真宗の教学では、『無量寿経』に出てくる〈即得往生〉という言葉を、親鸞はどのように受けとめたか」ということをめぐって、その解釈のあり方が大きなテーマとなっています。

現在、大谷派でいろいろな意見が出ているのが、この「往生」についての見解です。本願寺派は、教学に関してはかなり鷹揚なのですが、大谷派は新たな教学に対しては、原理原則から厳しく議論する傾向があります。

戦後、大谷派に曽我量深さんという方がいらっしゃって、「現世で往生するのだ」ということを盛んに説かれました。

「今、生きていることが大切なのだ」

「往生は来世ではなく、この世で達成できる」

という現世主義的な立場でしたが、大谷派ではこのような立場の論者が多いようです。


私は大学院時代に、本願寺派の早島鏡正先生から学びましたが、大谷派の系統の松野純孝先生が、講師としていらっしゃっていました。

松野先生は、「信心を得ればこの世で往生できるのだから、死語の往生なんて考える必要はない」という立場をとっていました。大谷派の方のお葬式で、「葬式なんて本当は必要ないのだ！」とお坊さんがいっているのを聞いて、驚いたことがあります。

「亡くなった人は、阿弥陀様にすべておまかせをするのだから、私たちが死んだ人に対してなにかをする必要はない。葬式は、身近な人が亡くなったことを契機に、みんなで集まって真の信仰を深める場だ」

といっておりましたが、「お坊さんが葬式無用なんていって、本当にいいのだろうか？」と、疑問に思いました。

ところが最近になって、大谷大学名誉教授の小谷信千代先生が、「親鸞は現世往生を説いていない」という本を出版してとても評判になりました。この点では、私は小谷先生の主張が正しいと思っています。

親鸞が書いたものを文献的に見れば、やはり「この世で往生する」とは述べていません。現世でなく、臨終か死後の問題になります。

しかし、このような議論が起こるということは、「これまで死について十分に考えてこなかったからではないか？」とも思えるのです。

「往生は来世のこと、死んでからのことです」と定義づけてしまえば、それで話はすむかというと、実はそれではすみません。もう一つ大きな問題があります。

親鸞は、「現世で正定聚（しょうじょうじゅ）になる」といっています。正定聚とは、「すでに仏になることが決まった地位」とされています。つまり親鸞は、

「この世では『来世に仏になる』というところまで定まっていて、そこまでは到達するが、そこから先は死んだ後の話である」

と区別をしていましたが、その区別について未だに十分に議論されていないのです。

ところが、このことについて考えることは、実はとてもややこしいものになります。

親鸞は、「現世で正定聚になる」といいましたが、その位を「弥勒等同」と呼んで、「弥勒菩薩と同じである」としています。これはつまり、親鸞は「菩薩思想」に至ったことになる

のですが、親鸞と「菩薩思想」とを結びつけようとしない人がとても多いのです。

そのような人たちは、「悪人正機論」を持ち出して、「自分たちは煩悩がいっぱいに詰まった煩悩具足の凡夫で悪人だから、とても菩薩のような高い位に達することはできない。だからこそ、阿弥陀様に救ってもらわなければならないのだ」といっていますが、親鸞は次のように説明しています。

「私たちは煩悩に囚われた衆生で、間違ったことばかりしているが、他力、つまり仏の力が働くことによって、一気に救い上げてもらうことができる。だから、私たちは永遠に救われているようなものであり、私たちは『現生正定聚』という弥勒菩薩と同じ位のところまで行くことができるのだ」

ところがこれは、一般の仏教の考え方からすれば、なかなか

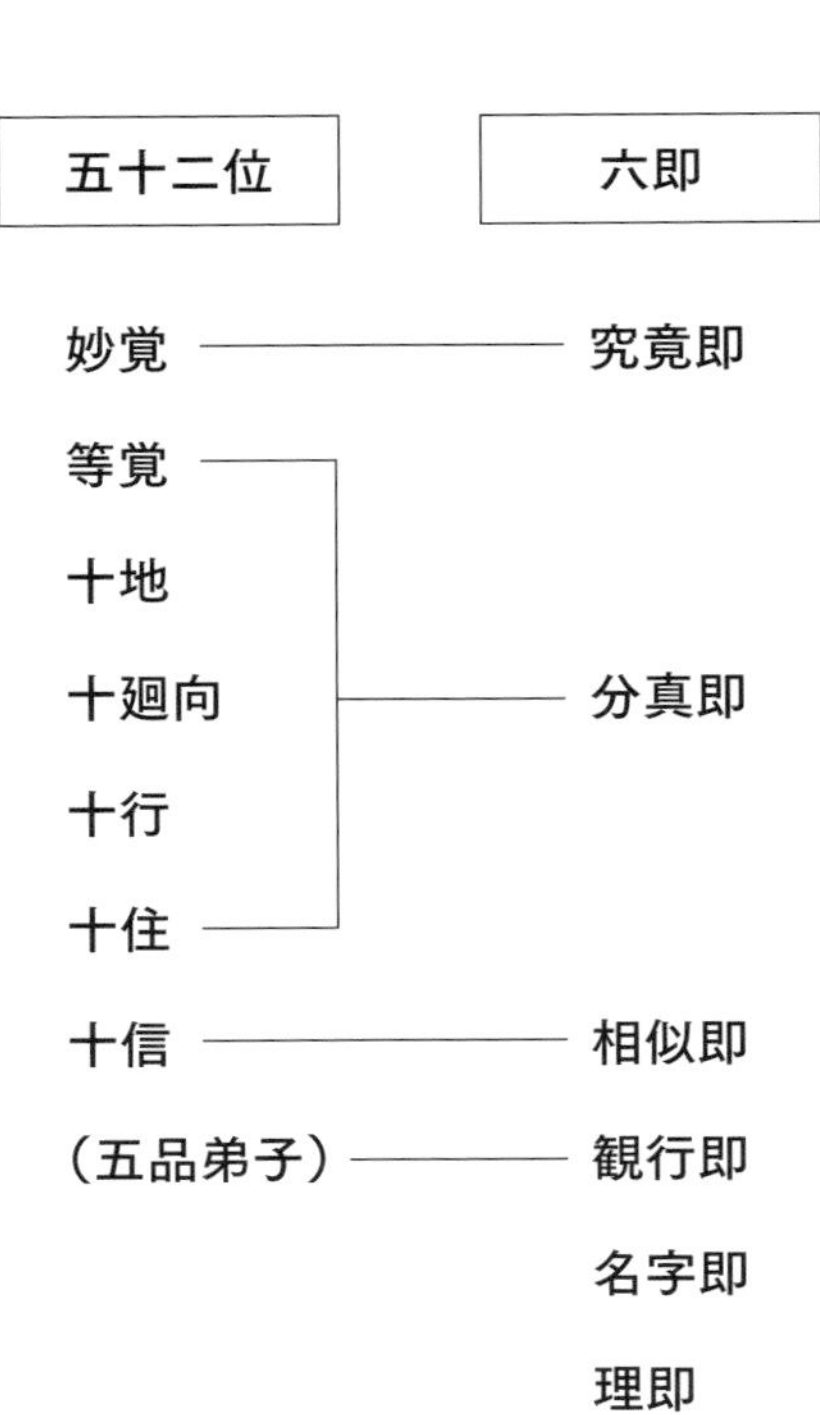

大変なことなのです。

下の図の左側は「五十二位」といって、菩薩の修行に五十二段階の位があることを示したものです。一番下の十信から、「十住」「十行」「十廻向」「十地」「等覚」「妙覚」と、次第に上がっていきます。

六世紀後半の中国で天台宗を大成した智顗（ちぎ）（天台大師）は、「自分はまだ『五品弟子』でしかない。『十信』に至っていない」と語っています。天台大師が、「一生をかけて懸命に修行して勉強してきたけれど、自分が到達したのはここまでだ」といっているのが、「五十二位」のさらに下の段階の位なのです。また、有名な龍樹菩薩でさえ、「十地」の末尾にようやく入れる位とされています。

ところが、親鸞のいう弥勒菩薩は、「等覚」の位になります。その上の「妙覚」が究極の悟り、仏の悟りですから、そのすぐ下のほぼ仏に等しい位です。

なんと親鸞は、煩悩まみれの私たち衆生でも、生きているうちにそこまで行けるといっているのです。

本当にそれを信じていいものでしょうか？　この私たちが、弥勒菩薩と同じほどの働きを示せるのでしょうか？　あるいは、私たちががんばれば、弥勒菩薩と同じだけの働きを示せるのでしょうか？

ふつうは「それは無理だろう」と思いますが、親鸞は「それが正しいのだ」といっています。親鸞はどのようにして、そのような考え方に至ったのでしょうか。

親鸞の即身成仏論

親鸞の考え方は、「修行を積んで、次第に位が上がっていく」という考え方ではありません。「次第に」ではなく、「いきなり仏の間近まで行く」のです。ですから、親鸞がいっているのは「即身成仏論」に近いといっていいでしょう。

「五十二位」の図の右側に「六即」とあります。これは天台宗で使われる言葉です。「五十二位」は天台宗以外の宗派でも使われていますが、少々別の分け方で表して「六即」というい方をしています。「即」とは、「仏性に即する」ということで、私たちが仏の悟りを自覚していく段階を、六段階に分けているわけです。

一番下を「理即」といいます。理論的には仏性があるはずなのに、それを全然自覚していない段階が「理即」です。

その次が「名字即」です。仏の教えを聞くと、「なるほど」と一応、分かる段階です。お経を聞いたり、本を読んだりして、文字や言葉、知識として分かるのが、「名字即」という段階です。

その次から修行が始まります。それが「観行即」です。実際に「観」「行」「瞑想」の修行を始めて、次第に深めていく……。これが「観行即」の段階です。天台大師は、ここまで到達したことになっています。

その上の「相似即」の段階になって、初めて「五十二位」と対応されます。ちょうど「十信」の位です。

ところが、「相似即」はまだまだ本物ではありません。「悟りのコピー」のようなものです。その上の「分真即」になって、ようやく悟りが分かってきます。「分真」というのは、まだ完全な悟りではない、部分的な悟りの段階になります。

最終的には、「分真即」の上の、「究竟即」といわれる最後の段階である、「仏の悟り」に至ります。ですから分真即は、「十住」「十行」「十廻向」「十地」「等覚」の段階分に当たるわけです。

「即身成仏」という考え方

「五十二位」の「十信」から「十住」に移るときに、部分的とはいえ悟りが開けます。ですから、「分真即」はある意味では「仏」といっていいことになります。

この「十住」には十段階ありますが、その最初が「初住」です。

その「初住」に入ることが最も大きな切り替わりのポイントになります。そこで「凡夫」から「仏」になるのです。

『華厳経』に「初発心時便成正覚」という文言があります。「初めて心を悟りに向けていくこと」が「初発心」ですが、そのときに「正しい悟りを成ずる」という意味です。

実は、「初発心時」とは、十住の最初である「初住」の段階とされています。その「初住」に入ることを、「信満成仏」とか、「初住成仏」などといいます。「信満成仏」の「信満」は、「十信が完全に終わったこと」を示しています。そのようにして「初住」に入ることから、「初住成仏」ともいわれています。

このことは当時の仏教ではほとんど常識とされていて、「五十二位」では「十信から十住にうつる段階」、「六即」では「相似即から分真即へ入る段階」で成仏が遂げられて、仏になると考えました。

そこから先がまだまだ長いように思えますが、「即身成仏」の立場からすると、「初住に入れば、その先の等覚まで同時に全て到達できてしまう」と考えます。

つまり、順番に段階を追って、「十住」「十行」「十廻向」「十地」「等覚」と上がっていくのではなく、「『初住』に入った瞬間に全てに到達できる」ということになります。

「それぞれの段階に分けられているのは、いろいろと複雑な内容を整理して段階的に考えようとしているにすぎない」ということからですが、「本当は『初住』に入った段階で全て完了する」というのが、当時の「即身成仏」の考え方だったのです。

したがって、親鸞が「現世で等覚まで行ける」といったのは、「五十二位」での「初住から等覚の段階まで到達する」ということや、「六即」での「分真即の段階まで到達する」ということに当たります。

ですから、親鸞は自分勝手なことを考えたわけではなく、伝統的な仏教観から見ても、実は妥当なものだったことが分かります。

「いきなり等覚まで行ける」「現世で弥勒まで行ける」というのは、とても極端なことのように思えるかもしれませんが、「即身成仏」という伝統的な仏教の考え方に基づいていると考えれば、実はそれほど極端なことではないのです。

ところが、本当に現世で「現生正定聚」の「弥勒等同」まで到達できるのでしょうか？

親鸞は、往生という生死の境界に断絶を設けて、「その先は死後の問題だ」「来世の問題だ」として切り離しています。ですから、「死というものをどう考えるか」がきちんと見直されなければなりません。

私たちがこの世の「現生正定聚」だとしても、実際の働きがどの程度かということを考えれば、たとえ他力を受けたとしても、できることはごく限られています。

この世の中で、「ああしたい」「こうしたい」と考えても、そうそうできるものではありません。やはりその先は、来世にやり残すことになります。

『観心略要集』と『十願発心記』

この問題を考えていく上で、いくつかのヒントがあります。

当時の仏教の状況を見ますと、「現世」と「来世」が明確には区別されておりませんでした。

「現世で往生できる」「現世で成仏できる」といっている一方で、実際にはそうはならないことが分かっていて、「やっぱり来世でがんばりましょう」といった考え方が一般的だったようです。

例えば最澄は、三度生まれ変わって成仏する「三生成仏」まで、「即身成仏」だと認めていました。こうした考え方からすれば、「現世往生論」も間違いであるとはいえないわけです。

また、同じように「即身成仏」を主張するものに、「本覚思想」があります。「現世のこの世界すべてが、実は悟りの世界である」という思想です。もし、そうだとしたら、来世なんていらないことになってしまいます。

「本覚思想」を説く人も、来世のことを語っているので、矛盾しているように思われます。

ところがそうではありません。

「本覚の立場からすれば、現世がそのまま浄土のはずだが、自分はどうしてそこまで悟れない。だから来世で頑張りましょう」

という、「現世と来世の二重論」のような考え方なのです。

多くの仏教の宗派で、この二重性が一般的だということが分かってきました。この考えを示す例を、『観心略要集』から引用してみます。

「乍(しばら)く此土に住して、先ず同居(どうご)の浄土の気分を得れば、順次の往生に疑い有るべからず」

(この現世に暮らして、悟った人も、悟りに至らない人も同居している阿弥陀様の極楽浄土の気分が分かれば、来世の往生に疑いはない)

この『観心略要集』は、『往生要集』を書いた源信の作と考えられていましたが、成立年代が少し下るので、源信の著ではないようです。非常に本覚思想の強い内容のものですが、「この世界で修行をしていくと、それによって究極の悟りを得られるように、自分の内面をよく観心(観察)する」ということです。

「観心」というものが天台宗の最も根本にあり、悟りに至る根本の修行を説いています。ところが、それが現世だけでは到達できないので、来世を考えるというのです。

『観心略要集』は、そんな天台宗の「観心」と、「来世浄土の考え方」とがミックスした、興味深いテキストといえるでしょう。

現世ではとりあえず浄土の気分を味わうことができます。そして、「そこまで到達していれば、来世ではそれが本当に実現しますよ」という多重性を持って語られているわけです。

この多重性が理解できれば、「現世」と「来世」の矛盾はなくなります。

つまり、「現世」と「来世」は簡単に繋がるわけではなく、そこには大きな断絶があるのです。でも、だからといって、「死んだ先のことなんて分からないから、そのままほうっておけばいい」というわけではなく、やはりお互いが繋がっていて、願いも思いもつながっていくのです。

「断絶があると同時に、繋がりのある世界がある」

と思うことが大切なのです。

そして仏様は、みなそれを乗り越えています。

阿弥陀仏は「五劫」という、とても長い年月の修行を終えています。お釈迦様も、何度も何度も生まれ変わって、衆生を救おうと修行して仏になりました。

それを思えば、「現世を超えて次の世へ受け継がれる志のようなものがあり、それが繋がっていくのだ」と私たちは考えなければなりません。だからこそ、「断絶と継続の両面がある」

と考える必要があるのです。

ただし、このことはあまりにも抽象的すぎます。おそらく親鸞は、これらのことをさまざまな仏教者たちから学び、自ら考えて具体的に実践をしたのでしょう。

そのような実践をした仏教者の一人に、千観という僧がいます。一〇世紀の後半、親鸞より二五〇年ほど前の人です。天台宗寺門派の園城寺で学び、源信に先立って浄土教を深く信仰しました。その千観が、『十願発心記』という本を書いています。自分で「十の願」を立てて、それに注釈をほどこしたものです。

阿弥陀仏も、法蔵菩薩のときに「四十八願」を立てて修行して、仏になりましたし、源信も千観にならって「十大願」を立てています。

『十願発心記』は、漢文で書かれていますので、和文に直したものを引用してみます。

「問う、十界の衆生は、稟性各異なり。何ぞ必ずしも発心して、その仏界を求めんや。答う、十界は異なりと雖(いえど)も仏性これ一なり。一切衆生煩悩の力によりて、しばらく、生死に輪還すと雖も、仏性一なる故に終に同一仏界に帰す」(佐藤哲英編『叡山浄土教の研究』百華苑、一九七九年)

(衆生の性質は、みなそれぞれに異なっています。能力がある者もいるのかもしれませんが、私たちのように能力のない者が仏の世界を求めるなどと、そんな大それたことをしなくてもいいのではないでしょうか？）

この問いに対して千観は答えます。

（衆生の境地はさまざまに異なっていても、仏性はただ一つです。煩悩にまみれて生死に輪廻していても、みなが同じように仏性を持っている以上、ついにはどこかで仏になります。だから、現世だけの短い期間で考えるのではなく、長大なスパンの中で人間の生き方も考えていきましょう）

そうはいっても、ただ単に輪廻しているだけではどうしようもありません。本当にかなえたい自分の願いを持って、実現することを誓って努めることが大事なのです。

そのようなことを考えて、千観は「十の願」を立てました。

第一の願は、「九品の往生のうちの最高位の『上品上生』の往生をしたい」という願ですが、大切なのは次の第二の願です。

「第二の願にいわく、願わくは我れ浄土に往生の後、速やかに娑婆に還りて本願力をもって、先ず有縁の衆生を度し、弘むるに釈尊の遺法をもってし、まさに慈尊の出世に継ぎ、彼の初会の中において最初に菩薩の記を受けん」（同前）

（自分は往生した後に、すぐにこの世界〈娑婆〉に戻ってきて、有縁の衆生を救う。そのときは、お釈迦様の残された法を弘め、その後に慈尊、弥勒菩薩が仏として現れるとき、最初

の説法を聴いて、即座に菩薩としての認定が受けられるように)

弥勒の出現は、五十六億年後のこととされていますが、そこで「自分がさらに菩薩としての認定を受けて、さらにまたその先に進んでいく」という、とても壮大な話になっています。ここにも還相廻向がはっきりと述べられています。

次に第六願を見てみましょう。

「第六願にいわく、十方世界三災劫の中に我能くその中に往きて、長者の身をもって、その飢渇の苦を救い、大医王身を現じて、その疫疾の苦を療し、慈善根の力をもって、刀兵の瞋を除かん。……凡(およ)そそれ弘誓の本願は、薬師如来のごとくならん」(同前)

(飢餓、疫病、戦乱の中にあっては、飢えに苦しんでいる人たちに対して、長者のたくさんの財産を分け与えて救いたい。病気に苦しんでいる人たちには、大医王、薬師如来のように治療して救いたい。戦乱にあっては、慈しみの善根力をもってみなの怒りを鎮めたい)

まさしく、「菩薩として人々を救いたい」と考えていたのです。

宮沢賢治の「願」

宮沢賢治の詩に「雨ニモマケズ」というものがあります。道徳の教科書に出てきそうな、できそうにないことばかり綴られているように思われがちですが、実はそれは大きな誤解です。実は「雨ニモマケズ」は、とても宗教的な詩なのです。

賢治はもともと体が弱いのにもかかわらず、かなり無理な生活をしていたために、大きな病気をして死にかけたことがあります。その大病を患ったときに、手帳に書かれた詩が、「雨ニモマケズ」でした。

手帳に書いた詩の末尾には、日蓮宗の文字曼荼羅が描かれていました。そしてその曼荼羅の真ん中には、大きく「南無妙法蓮華経」と書かれ、その両脇には「釈迦如来」と「多宝如来」という、二尊の名前が書かれていました。さらにその横に、「上行菩薩」「浄行菩薩」「無辺行菩」「安立行菩薩」の四菩薩の名がありました。

このことから賢治は、日蓮宗への信仰を持ち、菩薩行への思いを綴っていたことがわかります。

「おそらく自分は死ぬだろう」と思って賢治が書いた詩ですから、この現世で実現できるとは考えていなかったはずです。賢治にとってこの詩は、まさに「願」なわけです。

菩薩としての「願」であって、「自分が今度生まれ変わったら実現したい」、そう思って書いたものなのです。

ですから、最後の曼荼羅の部分を切り離して、前の詩の部分だけを評価するのは、完全に賢治を誤解しています。根本にある賢治の宗教的な部分が分かっていないことになるのです。「現世だけで終わるのではない。その先へ繋ぐ願いがある」

それが分かると、賢治という人が、本当にまじめに来世を思い、大きな「願」を考えていたことが実感できるのではないでしょうか。

菩薩とはなにか？

「親鸞の思想は『往相』と『還相』を中心とした体系でまとめられる」とご説明しましたが、「私たちは現世でどこまで到達できるのだろうか？」「来世に残されていく問題とはなんなのか？」「菩薩になったら、世界でどんな働きをすればいいのか？」といった問題も、私たちは勉強していく必要があると思います。

そこで、「菩薩とはいったいなにか？」ということを、最後にまとめてみます。

大乗仏教の根幹としての「菩薩思想」とは、二つのことを意味しています。

まず一つは、「他者とともにある」ということです。

「自分だけの幸福」というものは、絶対にあり得ません。全てが他者とともにあります。

他者との関わりをよりよい方向に向けて、「他者の力になりたい」という利他の感情を持つのは、人間としてもごく自然なことだと思います。

もちろん親鸞も「他者救済の思い」を抱いていました。ところが、現実には不可能であることが分かり、絶望したのちに、「他力」という大きな思想が生じました。

そしてもう一つは、「現世だけの問題ではない」ということです。

親鸞は過去世のことはほとんど語っていませんが、仏教では「仏縁」という言葉をよく使います。

「この世で仏に会うことができたのは、前世での功徳が大きかったからである。前世での功徳がなければ、この世で仏に会うことはできない」

というようにいわれるのですが、そう考えると、菩薩は現世で始まるものではなく、私たちが生まれる以前から菩薩行が始まっていることになります。それが現世まで続いているのです。

ですから現世とは、ずっと繋がっている世界のごく一部で、その後に来世が続きます。

「前世」「現世」「来世」という長いスパンの中で、菩薩を考えていくことになるのです。

「存在としての菩薩」「実践としての菩薩」

私たち衆生は、他者、あるいは人間以外のものも全て含めて、いろいろな関係のなかで生きています。必ずしもプラスの関係だけではなく、マイナスの関係もあります。相手と傷つけあったり、憎しみあったりというマイナスの感情、あるいはマイナスの行為というものも、他者があって初めて生じるものです。

そのような意味でいえば、プラスであるものも、マイナスであるものも全て、私たちの存在そのものが、他者との関係のなかに埋め込まれているのです。

そのことを私は、「存在としての菩薩」と呼んでいます。

私たちは、すべての関係を「プラスの方向に向けたい」という願いを持っています。そのように利他に転じていくこと、それが「実践としての菩薩」になるのではないでしょうか。たとえマイナスが生まれても、プラスの方向に転じるように、他者、あるいは他のものたちとの関係を作ろうと努力するのです。

それが実現できるかどうか分かりません。ですが、できる限りそのような方向に向けていきたいと、私自身は思っています。

そのように考えますと、「存在としての菩薩」という意味では、私たち全員が菩薩なのです。他の人と関わることなく、自分だけで生きることはできないのですから。

全ての衆生は菩薩ではありますが、他者との関係をプラスの方向に向けようとした瞬間に、私たちは「存在としての菩薩」から、「実践としての菩薩」に変わることができるのです。

還相回向ということ

前東洋大学学長
東洋大学名誉教授
竹村牧男

「還相」とは、極楽浄土に往生したのち、この娑婆世界に還ってきて、
衆生済度の行に励むことをいいます。
親鸞はこの還相についてどのように捉えていたのかを、
考えてみたいと思います。

竹村牧男

1948年東京生まれ。1971年、東京大学文学部卒業。1975年、東京大学大学院印度哲学博士課程中退後、文化庁宗務課専門職員、三重大学助教授、筑波大学助教授、同教授を経て、2002年、東洋大学文学部教授となる。2009年、東洋大学学長。2020年3月、同学長を退任。筑波大学および東洋大学名誉教授。研究分野：仏教学・宗教哲学。唯識思想研究で、博士（文学）（東京大学）。著作に、『入門　哲学としての仏教』（講談社現代新書）、『日本仏教　思想のあゆみ』『親鸞と一遍』（講談社学術文庫）など多数。

禅と真宗

私は親鸞が大好きです。でも、私自身は浄土真宗に属しているわけではありません。家の宗旨は臨済宗です。私は浄土真宗、本願寺と深い関係があるわけではありませんが、親鸞の思想には大変深い感銘を受けております。また、私の仏教のベースは「禅」で、学生時代から、秋月龍珉先生のもとで禅を学びました。秋月先生は鈴木大拙先生の愛弟子だった方です。禅にもいろいろな禅がありますが、鈴木大拙先生は日本の禅の代表的な系統として、次の三人を挙げています。

まず一人は、臨済系統の白隠（はくいん）禅師です。

次にみなさんもよくご存じの道元禅師です。曹洞宗の宗祖ですが、曹洞宗では「高祖」と呼ばれています。

そしてもう一人は、盤珪（ばんけい）禅師です。この方は「不生（ふしょう）ですべてが整う」と、非常にわかりやすい、簡明な教えを民衆に語りかけました。

それぞれ趣きが異なっていますが、禅者のなかには非常に勇ましく、「禅一本ですべてが片づく」という方もおりますし、「禅を究めれば究めるほど、自分の至らなさというものが感じられてくる」という方もいらっしゃいます。

道元禅師は次のようなことをおっしゃっています。

「身心に法いまだ参飽せざるには、法すでにたれりとおぼゆ。法もし身心に充足すれば、ひとかたはたらずとおぼゆるなり」（『正法眼蔵』現成公案）

（仏様のはたらきがその身心に行きわたらないうちは、これで救われたのだと満足してしまう。その仏様の働きが身心に満ち満ちてくると、逆に自分の在り方が申し訳なく、これではなかなか仏様の慈悲に応えることができないという思いが生まれてくる）

法というのは真理のことです。浄土真宗的にいえば「大悲の働き」といったところでしょうか。禅の道とは、おそらくこのようなところが真実ではないかと思います。

かつて宋代の中国に五祖法演という禅師がいらっしゃいました。

「我れ参ずること二十年、今まさに羞を識る」

（坐禅の行を二十年間したが、そのお陰で今、自分のいたらなさ、申し訳なさに恥を知った）

この言葉に対して、江戸時代の霊源和尚は次のようにいっています。

「好きかな、識羞の両字！」

（恥を知ること、自分が至らないことを自覚することは、なかなか良いことだ！）

秋月先生が、大拙先生から「禅を一言で言えばなにか？」という問いを出されたときに、「分に従って恥を知る」と答えました。分は「分際」です。「自分の分際を自覚し、わきまえて、恥を知る」。これこそが禅の究極だと答えました。分には「本分」という意味もあります。

本来の自己の在り方としての本分で、その本分に従って恥を知るともいえます。このようなことを自覚する禅者は、浄土教にも深い共感を覚えていきます。

ひと昔前の京都における有名な禅者に、久松真一さん、森本省念さんという方がいらっしゃいました。

久松さんは、「浄土教は仮の教え、方便の教えで、本当のものではない。禅が究極の教えである」とおっしゃっていました。

それに対して、長岡禅塾を主宰された森本さんは、「禅がつぶれて真になる」と言いました。「真」は真宗の真です。

「禅をひたすらやると、結局は真宗に帰する世界がおのずからある」

ということのようです。

古来、非常に優れた禅者には、真宗の考え方、あるいは浄土教の考え方に深い共鳴を持つ方がしばしばいらっしゃったのです。

大拙の浄土教

大拙先生は、真宗に深い共感を示されていました。先生はアメリカで十数年過ごしたのちに、日本に帰ってきてから学習院の教授になり、そのあと大谷大学（東本願寺系）の教授になりました。そこで真宗の世界、法然、親鸞の世界に目を開いたわけです。大拙先生は、自分なりに浄土真宗の世界を究めて、「禅と真宗は一つである」と見いだされました。

終戦となる一九四五年の前年の暮れ、大拙先生は『日本的霊性』という本を出版しました。この本は禅宗よりも、ほとんど法然、親鸞の浄土教の本質、核心を書いた本であり、さらには「浄土の教えを篤く信心する妙好人の世界」も描くものです。

この本のなかで述べられていることを、引用しながら見ていきましょう。

「日本的霊性の情性的展開というのは、絶対者の無縁の大悲を指すのである」

日本的霊性が知的に展開したものに禅がありますが、一方でその情性的展開というものもあります。これが法然、親鸞の浄土教であります。そして、その核心は「絶対者の無縁の大悲を指すのである」といっています。無縁というのは無条件と考えていただければよいでしょう。

「最も大膽に最も明白に闡明（せんめい）してあるのは、法然――親鸞の他力思想である。絶対者の大悲は悪によりてもさえぎられず、善によりても拓（ひら）かれざるほどに、絶対に無縁――すなわち分別を超越しているということは、日本的霊性でなければ経験せられないところのものである」

浄土教は、基本的には念仏を唱えて、それによって救われるというところがあります。ところが、念仏しようがしまいが、修行をしようがしまいが、煩悩を浄めようが浄めまいが、「阿弥陀様が絶対に無条件に、この私を救ってくださる世界があると自覚し、それを伝えていったところに日本的霊性がある」というのです。

中国では「念仏することで救われる」という意識であったのに対し、日本では「この身このままで救われる」というのです。

「日本でこのような浄土教がひらかれていった背景にあるのが、親鸞の宗教意識であり、それが外来の浄土教という言葉を機縁に発現した」

そんな見方をしていたわけです。

「親鸞は罪業からの解脱を説かぬ」

親鸞は「苦しんでいることから解脱するために修行しなさい」とは説いていません。「すなわち因果の繋縛からの自由を説かぬ。それはこの存在——現世的・相関的・業苦的存在をそのままにして」

苦しみ、のたうちまわっている存在をそのままに、です。

「弥陀の絶対的本願力のはたらきに一切をまかせるというのである。こうしてここに弥陀なる絶対者と親鸞一人との関係を体認するのである」

この私のことを阿弥陀様は救い取ろうとして、常にはたらきかけてくださっていました。その事実を単なる知的な認識ではなく、「体ごとそのことを自覚し、体得する」ということです。

「絶対者の大悲は、善悪是非を超越するのであるから、此方からの小さき思量、小さき善悪の行為などでは、それに到達すべくもないのである。ただこの身の所有と考えられるあらゆるものを、捨てようとも、留保しようとも思わず」

自分の考えや理解等を、捨てるのではありません。捨てようとも思わないし、また持っていようとも思わないのです。

「自然法爾にして大悲の光被を受けるのである。これが日本的霊性の上における神ながらの自覚にほかならぬのである。シナの仏教は因果を出で得ず、インドの仏教は但空の淵に沈んだ。日本的霊性のみが、因果を破壊せず、現世の存在を滅絶せずに、しかも弥陀の光をして一切をそのままに包被せしめたのである。これは日本的霊性にして始めて可能であった」

「かつて悪いことをして、この世界で苦しみながら生活していたとしても、そのままで大悲に包まれるのです」

と大拙先生は述べています。

大拙先生は出家した僧侶ではありませんでしたが、臨済宗の釈宗演老師のもとで帰国後も修行をしていて、その修行はほぼ完成に近づいていたようです。釈宗演老師が亡くなったあとに、大拙先生は学習院大学から大谷大学へ移りますが、そこで浄土教の世界に深く共感し、このようにその核心、本質をえぐり出し、指摘しているわけです。

大拙先生の主張で非常に興味深いのは、「宗教意識の基盤となる世界は、大地にある」と述べていることです。大地に触れることで、こういう宗教意識が生まれてくるのだといっています。

親鸞が新潟に流されたときに、農業をしながら生活していた人々と交わりました。「大地に触れる」ことがいわば日常的になったわけで、その大地性というものが、宗教意識に関わっていると大拙先生は指摘しています。

「霊性の奥の院は実に大地の座にある。平安人（都人）は自然の美しさと哀れさを感じたが、大地に対しての努力・親しみ・安心を知らなかった」

農民は一所懸命、耕して収穫を得るが、都にいる人はそのような大地との触れあい、交渉を全く知らない、ということになります。

「したがって、大地の限りなき愛、その包容性、何事も許してくれる母性に触れ得なかった。天日は死した屍を腐らす。醜きもの穢らわしいものにする。が、大地はそんなものをことごとく受け入れてなんらの不平もいわぬ。かえってそれらを綺麗なものにして新しき生命の息を吹きかえらしめる。平安人は美しき女を愛して抱きしめたが、死んだ子をも抱きとる慈母を忘れた。彼らの文化のどこにも宗教の見えないのはもとよりしかるべき次第である」

どのような汚いものも受け入れて、それを浄化してくれるのが「何事も許してくれる母性」であり、「母性そのものでもある大地に触れることが、本当の宗教性というものに目覚める重要な契機になる」といっています。実際、親鸞の浄土教とは、

「大地のように絶対無条件の大悲が働いていて、それに包まれていることの自覚において救われる」

という性格のものであると私は思います。

親鸞の世界

『無量寿経』では、「阿弥陀様が四十八願を立てられて、私たちはその本願によって救われる」と説かれています。なかでも最も重要といわれているのが、第十七願、第十八願です。

「たとひわれ仏を得たらんに、十方世界の無量の諸仏、ことごとく咨嗟して、わが名を称せずは、正覚を取らじ」（『無量寿経』第十七願）

「咨嗟して」というのは、「褒め称えて」という意味です。諸仏が、「阿弥陀様はすばらしい仏様だ」と褒め称え、その名号を唱えることが実現しなければ、自分の修行はまだまだ足りないから、菩薩から如来になるのをやめて、もっと修行をしようということです。

「なぜ、わが名を称するのか？」というと、「阿弥陀様の救いがすばらしいものだということを諸仏が衆生に広めてほしい」という願いからのようです。

「たとひわれ仏を得たらんに、十方の衆生、至心信楽して、わが国に生ぜんと欲ひて、乃至十念せん。もし生ぜずは、正覚を取らじ。ただ五逆と誹謗正法とをば除く」（『無量寿経』第十八願）

「乃至十念せん」の「十念」には、いろいろな意味がありますが、中国、日本の浄土教のなかでは、「ただ念仏（名号）を唱えること」とされています。心を統一して坐禅をすることに比べると、ただ念仏を唱えさえすればいいのですから、極めてやさしい「行」になります。そのために、このことが私たちの救いの拠り所になったわけです。最後の部分、「ただ」以下のところは、「こういうことはしないほうがいいという、抑止のための記述」という解釈が一般的です。五逆は「親殺し」など、特に重大な五つの罪で、「その罪と、正法を誹る者を除外する」と書かれています。正法というのはこの場合、『無量寿経』の教えということになります。

ところが、「重大な罪を犯した者も、正法を誹る者も、実際にはそれでも救われているのだ」というのが、真宗の立場だろうと思います。

『無量寿経』は上下二巻あるので、『双巻経』などともいわれますが、その巻下の冒頭にこうあります。

「十方恒沙の諸仏如来は、みなともに無量寿仏の威神功徳の不可思議なるを讃歎したまふ。あらゆる衆生、その名号を聞きて、信心歓喜せんこと乃至一念せん。至心に廻向したまへり。かの国に生れんと願ずれば、すなはち往生を得、不退転に住せん」

これは第十七願、第十八願とが成就した姿です。諸仏如来がみな無量寿仏（阿弥陀仏）を讃歎し、その名号を聞いて、信心を歓喜して念仏するのです。

漢訳経典では、「至心廻向、願生彼国」となっていて、普通に読み下しますと「至心に廻向してかの国に生れんと願ずれば」となります。ところが、親鸞はここを「至心に廻向したまへり」と区切って、独自の読み方をしています。

阿弥陀様が、純粋な気持ちで我々を救い取ろうと、自ら培った功徳を我々に廻向されていく。それによって「かの国に生れんと願ずれば、すなはち往生を得る」となるのです。この「すなはち」というのは「即」で、「すぐに往生できる」というニュアンスになります。「不退転に住せん」は、「もう退転することはない」ということで、つまりは、「必ず仏になると約束される」ということです。

『無量寿経』巻下には、第十七願、第十八願をまとめて、このように記されています。「乃至一念せん」とありますので、「我々は一回でも念仏したら救われるのだ」ということになります。

法然の門下では、念仏は一回でよいという「一念義（一念で救われる）」を主張する者もあれば、念仏は多ければ多いほどいいという「十念（多念）」を主張する者もあります。いろいろと異なった立場の者がいたということだと思います。

また、『観無量寿経』という経典には、このように記されています。

「上品上生といふは、もし衆生ありてかの国に生ぜんと願ずるものは、三種の心を発して、即便往生す。なんらをか三つとする。一つには、至誠心、二つには、深心、三つには、回向発願心なり」


「至誠心」は、純粋な心、真実の心です。

「深心」は、「自分がどうしようもない人間だということを深く見つめ、だからこそ阿弥陀様が救ってくださる」と信ずる深い信心です。「機の信心」「法の信心」とよくいわれますが、この二つの信心がこれらには含まれています。

「回向発願心」は、「それまでなんらかの修行してきた功徳を、浄土に往生することにすべて振り向けて、ひたすら浄土に生まれたい」と願う心です。

このような「至誠心」「深心」「回向発願心」という「三心」を発して、「はじめて往生できる」と『観無量寿経』ではいわれているのです。

ところがそうなると、「ただ一回念仏する」、あるいは「ただ十回念仏する」ではすまないことになります。

第十八願に「至心信楽してわが国に生ぜんと欲ひて」とありましたが、「至心」が「至誠心」、「信楽」が「深心」、「わが国に生ぜんと欲ひて」の漢訳原文にあたる「欲生我国」が、「回向発願心」にあたります。第十八願では一念や十念ですむと思っていたものが、『観無量寿経』

によると、そのような「三心」を具えなければならなくなったわけです。

『無量寿経』巻下の「至心に廻向したまへり」というのは、親鸞の読み方であるとご説明しましたが、そこには「至心に」や、「信心歓喜」、そして「かの国に生れんと願ずれば」とありますので、実はやはり三心が含まれているという理解ができます。

気持ちが散漫なときでも、口で念仏を唱えるのは簡単なことです。ところが、純粋な「真実の心を具える」「深い信仰心を具える」「本当に浄土に行きたいという真摯な心を具える」ということは、なかなか難しいことだと思います。


『歎異抄』第九条で、著者の唯円が親鸞に問いかけます。

「自分はいくら念仏を唱えても、浄土に行きたいと思わないのですが……」

すると、親鸞は、

「唯円房、おまえもか！」（私も同じ思いだ！）

と答えます。そして、こう続けます。

「だが、浄土に行けることを喜ばないのは、無明煩悩が盛んなことが理由である。その無明煩悩の盛んな者こそ、阿弥陀様は救ってくださる。だから喜べないということが、逆に救いの対象になっているのだ」

その話を聞いた唯円は、「なんだか心が落ち着いた」と思ったそうです。つまりは、「それほど浄土に行きたいとは思わないのが、人間の心の真実である」ということです。

人間には、純粋な三心など、具えることはできないのが実情でしょう。そう考えますと、「十回念仏しても、一回念仏しても、浄土には行けない」ということになってしまいますが、ではどうすればいいのでしょうか？

私はこの三心の問題こそが、日本の浄土教のなかで、いちばんの大きな問題であると思っています。

法然は、

「ひたすら念仏して名号を唱えれば、必ずや極楽浄土に引き取ってくださると信じて念仏すれば、その中に三心は具わっているのだから、三心のことを心配する必要はまったくない」

と何度も言っています。しかし親鸞は、この三心の問題が引っかかっていたようで、「ここをどうクリアしようか？」と、追究して追究して、追究し抜きました。そして、

「人間には真実の心はあり得ない。純粋な信心なんてあり得ない。だから、この三心というのは仏様の心である」

と理解しました。

仏様が一心にこの私を救おうと思って、修行され、仏になられて、我々に働いてくださっている。つまりそれこそが仏の一心なのだと考え、

「その一心が三つに分かれて、三心として語られているにすぎない」

という理解に持っていきました。

そのために、「至心に廻向して」という部分を、「至心に廻向したまえり」と読み替えています。このことをまとめているのが、『教行信証』（信巻）の次の箇所です。

「まことに知んぬ、至心・信楽・欲生、その言異なりといへども、その意これ一つなり。なにをもってのゆゑに。三心すでに疑蓋雑はることなし、ゆゑに真実の一心なり。これを金剛の真心と名づく。金剛の真心、これを真実の信心と名づく。真実の信心はかならず名号を具す。名号はかならずしも願力の信心を具せざるなり。このゆゑに論主、建めに「我一心」とのたまへり」

（至心・信楽・欲生、の意味するものはただ一つであり、煩悩等が少しも混じることがない。真実の一心は、仏様の心しかなく、その仏の一心が、この私に向けられていると自覚する。それこそが本当の信心なのである）

「仏様が一心にこの私を思ってくださっているという事実に出会う」ことが大切なのです。このことが事実かどうかは、経典を読んでいくなかで、そのリアリティに出会っていくことができるでしょう。そしてその間に、この信心というものが決定して、信が具わっていくのです。

私がなにかを信じるのではなく、仏がこの私を一心に救おうとされていることに気づくとき、そう受けとめた仏様の一心が金剛の真心であり、真実の信心です。

「真実の信心はかならず名号を具す」とは、そのことに気づけば、報謝の念仏、感謝の念仏がおのずから口をついて出ざるを得ないということです。「名号はかならずしも願力の信心を具せざるなり」とは、「いろいろ学んで念仏を唱えても、必ずしもそこに本願力を信じる信心が具わっているとはいえない」という意味です。

「このゆゑに論主」の論主とは、『往生論』を著した世親（天親）のことですが、世親は一心という言葉を使って「我一心に帰命する」と語られました。


　少し難しい言葉を使いましたが、つまりは、

「三心はこちら側が具える心ではなく、仏様がこの私を一心に思ってくださっている心のことなのであり、それに出会ったとき、おのずから感謝の念仏が出てきて、そこに救いがある」

　ということになります。

「一念で救われる」とは、『無量寿経』の巻下の冒頭にありましたが、その解説も『教行信証』のなかにあります。次のようなものです。

「しかるに『経』に〈聞〉といふは、衆生、仏願の生起本末を聞きて疑心あることなし、これを聞といふなり。〈信心〉といふは、すなはち本願力回向の信心なり。〈歓喜〉といふは、すなはち身心の悦予を形すの貌なり。〈乃至〉といふは、多少を摂するの言なり。〈一念〉といふは、

信心二心なきがゆゑに一念といふ。これを一心と名づく。一心はすなはち清浄報土の真因なり。金剛の真心を獲得すれば、横に五趣八難の道を超え、かならず現生に十種の益を獲。

なにものか十とする。一つには冥衆護持の益、二つには至徳具足の益、三つには転悪成善の益、五つには諸仏称賛の益、六つには心光摂護の益、七つには心多歓喜の益、八つには知恩報徳の益、九つには、常行大悲の益、十には正定聚に入る益なり」（『教行信証』信巻）

「しかるに『経』に〈聞〉といふは」という書き出しになっているのは、『無量寿経』巻下の「あらゆる衆生、その名号を聞きて」を受けているからです。

次の「衆生、仏願の生起本末を聞きて疑心あることなし、これを聞といふなり」は次のような内容になります。

「仏様がいかにこの私を救おうとしてくださったか。そのためにどれだけの苦労をされ、修行されたか。本願を立てて、そのあと兆載永劫の苦労をなされたか。そのことを聞いて、『私はもう救われるのだ』と、疑いを持たずに理解する。これが聞ということなのだ」

「〈信心〉といふは、すなはち本願力回向の信心なり」は、経典の「信心歓喜せんこと乃至一念せん」を受けています。諸仏が阿弥陀仏を讃えるのを聞くと、それによって信心が生まれるということもありますが、「すべては本願力の側から、阿弥陀様のほうから用意してくださって生まれる信心なのだ」ということです。

「〈歓喜〉といふは、身心の悦予を形すの貌（かんばせ）なり」は、信心の喜びを表す様子だということです。「〈乃至〉といふは、多少を摂するの言なり。〈一念〉といふは、信心二心なきがゆゑに一念といふ。これを一心と名づく」とあります。「乃至」とは、数多くの念仏も一回の念仏も含めているということです。

「一念」とは一回の念仏のことではありません。

特に第十七願、第十八願がまとめられた巻下冒頭に出る「一念」は、本願力回向の信心のことなのであり、「阿弥陀様がこの私を救うというその心に二心がない」こととしています。「一心はすなはち清浄報土の真因なり」は、「その一心において初めて阿弥陀様の極楽浄土に生まれることができる。仮の浄土ではなく、阿弥陀様が住んでいらっしゃる本当の浄土、つまり報身仏の報土に生まれる本当の原因となるのだ」ということです。

「金剛の真心を獲得すれば、横に五趣八難の道を超え」は、一般には長い間、修行を行うことによって少しずつ心が浄化され、次第に困難を超えていくことができるようになるでしょう。ところが、金剛の真心を持つことができれば、「五趣八難」のさまざまな苦しみを一足飛びに超えることが可能なのです。そして、「かならず現生に十種の益を獲」とあるように、現生でいろいろな御利益をいただくことができるとしています。

その九番目に「常行大悲」というものがありますが、これは、「阿弥陀様の大悲を常に信じて生きることにより、その大悲が他の人々へも伝わっていく」ということかと思います。

このように、親鸞の浄土真宗の教えとは、すべて「阿弥陀様の側から」なされています。「仏様が一心にこの私を救おうとされているのだ」ということに気づかされるのです。安心してすべてを阿弥陀様にまかせてしまうことで、あとは阿弥陀様が私を仏様にしてくださるのです。それが真宗の教えであると、私なりに了解しておりますが、なかなか素晴らしい世界ではないでしょうか。

そう考えますと、「自分で何かをしなければならない」という必要が全くないことになり、それが「自然法爾（じねんほうに）」という教えになるわけです。

「自然法爾章」とは、『正像末和讃』の終わりの部分になります。

「〈自然（じねん）〉といふは、もとよりしからしむるといふことばなり。弥陀仏の御ちかひの、もとより行者のはからひにあらずして、南無阿弥陀仏とたのませたまひて、むかへんとはからはせたまひたるによりて、行者のよからんともあしからんともおもはぬを、自然とは申すぞとききて候ふ。ちかひのやうは、〈無上仏にならしめん〉と誓ひたまへるなり」

（こうしたらいいとか、こうしたらダメだとか、そんなことは一切関係ない。阿弥陀様がすべてなさってくださる。この私を仏様にまかせきります。一人ひとりをみな無上の仏にしていくという、その誓いを阿弥陀様のほうでなさってくださるのだ）

「無上仏と申すは、かたちもなくまします。かたちもましまさぬゆゑに、自然とは申すなり。かたちましますとしめすときは、無上涅槃とは申さず。かたちもましまさぬやうをしらせんとて、はじめに弥陀仏とぞききならひて候ふ。弥陀仏は自然のやうをしらせんれう〈料〉なり」

（姿形のある阿弥陀仏が、姿形のない無上仏の世界を知らせようとしている。「あなた方もそこに到達することができる」ということを知らせるための手立て〈料〉であり、方便なのだ）

「この道理をこころえつるのちには、この自然のことは、つねにさたすべきにはあらざるなり。つねに自然をさたせば、義なきを義とすといふことは、なほ義のあるべし。これは仏智の不思議にてあるなり」

（自分で自分をどうこうしようというはからいが「義」であり、そのようなものは全く必要がない。必ずそこに到達できるのだ）

弥勒便同　如来等同

「本願によって極楽浄土に行き、修行のしやすい環境のなかで阿弥陀様を前に修行をし、そして仏になっていく」

これが本来の浄土教です。ところが、親鸞の浄土教では、死んだらただちにその無上仏、形なき大涅槃へ到達するという、「往生即成仏」の見方をされているようです。ということは、「この世にいるということは、仏になる一歩手前の状態」という解釈になります。このあたりのことを親鸞は、「弥勒便同」や「如来等同」という教えで語っています。

『教行信証』「信巻」には「弥勒便同」の説に関して、次のように書かれています。

「まことに知んぬ、弥勒大士は等覚の金剛心を窮むるがゆゑに、竜華三会の暁、まさに無上覚位を極むべし。念仏の衆生は横超の金剛心を窮むるがゆゑに、臨終一念の夕べ、大般涅槃を超証す。ゆゑに便同といふなり」

弥勒大士とは弥勒菩薩のことです。大乗仏教の修行の過程には「十信、十住、十行、十回向、十地、等覚、妙覚」と、「五十二位」の修行の道筋があります。このなかの「等覚」とは、「妙覚」の一つ前の位です。弥勒大士は仏になる一歩手前にいて、「等覚」の金剛心を窮めています。そして、五六億七千万年後の未来に地上に現れて、竜華樹という木の下で三回説法をして、あらゆる衆生を救済するとされています。それが竜華三会の暁です。

今は兜率天にいて、「等覚」の位にいるのですが、やがてこの地上に現れて、説法されるそのときに、仏そのものになるとされています。

「念仏の衆生は横超の金剛心を窮むるがゆゑに」の金剛心は、ダイヤモンドのように硬くて壊れない「真実の信心」という意味だと思います。一方、成仏の直前の心の段階も、金剛心というのです。「横超の金剛心」を究めているために、亡くなったその一刹那に「大般涅槃を超証す」といっています。

少しずつ修行して大涅槃に至ったり、仏になったりするのではなく、この世で金剛心を窮めていて、弥勒と同じように仏の一歩手前まできているので、死んだら即、「大般涅槃へと飛び越えることができるのだ」ということになります。したがって、「弥勒と同じ(弥勒便同)」というのです。

さらに実は「弥勒と同じである」というだけではなく、「もう仏と同じである」とさえいっています。

『教行信証』に次の一節があります。

「『華厳経』にのたまはく、〈この法を聞きて信心を歓喜して、疑いなきものはすみやかに無上道を成(な)らん。もろもろの如来と等し〉となり」

以下、『華厳経』の対応する部分のふつうの読み方です。

「衆生心の微塵も、海水の渧も数うべく、虚空も亦た量るべくとも、仏徳は説くこと尽くすことなし。此の法を聞いて歓喜し、信じて心に疑うこと無き者は、速やかに無上道を成じて、諸の如来と等しからん」（『華厳経』「入法界品」最後の偈。「聞此法歓喜、信心無疑者、速成無上道、与諸如来等」）

『華厳経』の教えを聞いて、喜んで信じて修行をしていくと、速やかに無上道を成就して、仏と同じになるだろう」というのが本来の意味ですが、この「速やかに」が、どれくらいの期間であるかについては、いろいろな見解があります。「一生の間にこの修行が完成する」という見解もありますし、前世に『華厳経』の教えを聞いて、その種子が心の中に宿り、この世で『華厳経』の教えに従って修行することで、次の世に仏になれる（三生成仏）というような見解もあります。

それはともかく、『教行信証』と『華厳経』を比べるとわかりますが、親鸞はやはりここの読み方をちょっと変えています。

「信心を歓喜して、疑いなきもの」は、「仏の一心に出会って信心が成就した者は、もう如来と等しい」としていまして、これは「如来等同説」といわれています。

親鸞は、笠間の農民やお弟子さんなどにたくさんの手紙を書かれていますが、そのなかで繰り返し、「弥勒便同」「如来等同」の趣旨について述べています。

「如来の誓願を信ずる心の定まるときと申すは、摂取不捨の利益にあづかるゆゑに不退の位に定まると御こころえ候ふべし。真実信心の定まると申すも、金剛信心の定まると申すも摂取不捨のゆゑに申すなり。さればこそ、無上覚にいたるべき心のおこると申すなり。これを不退の位とも正定聚の位に入るとも申し、等正覚にいたるとも申すなり。このこころの定まるを、十方諸仏のよろこびて、諸仏の御こころにひとしとほめたまふなり。このゆゑに、まことの信心の人をば、諸仏とひとしと申すなり。また補処の弥勒と同じとも申すなり……」（御消息）

「仏様がこの私を抱きとって、必ず無上仏にしてくださるからこそ、真実の信心が定まり、金剛信心が定まる」ということで、「自分は仏になれるはずだ」という心が起こります。

すると、「もう退転せずに、正定聚の位に入る」のです。必ず仏になることが約束された者たちが「正定聚」です。「不退の位」「正定聚」だけでなく、そのことは「等正覚にいたる」「正覚に等しい」というところが、親鸞の独特なところです。

「信心が窮まったら、等正覚に至る。このことは、弥勒菩薩の位の等覚に等しいところまで至ることなのだ」というのです。

「諸仏の御心にひとし」は、いろいろ解釈がありそうですが、「諸仏が人々に仏となってほしいと望む心と同じである」として、「褒めたたえていらっしゃる」ということでしょう。

簡単にいえば、「信心が定まれば、この世のうちに弥勒や如来とほとんど同じ位に立てる」

ということです。実際には何も変わらないのですが、「同じ境地にある」ということなのです。こうして次のような和讃が作られています。

信心よろこぶそのひとを
如来とひとしとときたまふ
大信心は仏性なり
仏性すなはち如来なり
（「浄土和讃」諸経讃）

こうして親鸞においては、必ずしも念仏して救われるのではなく、この身このまま、無条件に阿弥陀様の一心によって救われる。また、救われるだけではなくて、仏にならしめていただける。死んだら浄土に往生して即、仏になるというものなのです。

仏になることは、なかなか嬉しいことですが、では、仏になってなにをするのでしょう？ 仏になることだけが喜びなのでしょうか？

親鸞は、娑婆から浄土へ行くという「往相」だけではなく、「娑婆から浄土に行っても、また娑婆に戻ってきて、人々の救済のために活動をしていく」という「還相」についても説いています。ここが非常に尊い、ありがたいことではないかと思います。このようなことは他の浄土教ではほとんどありません。法然もそのようなことは言っておりませんでしたので、おそらく親鸞独自の説ではないかと思います。

鈴木大拙の還相感

ここで大拙先生の還相についての考えを見てみましょう。大拙先生は「絶対無条件に救われる」という、その浄土の世界を褒め称えましたが、そこで終わってはおりませんでした。

「基督教のように、二元的論理で、しかして直線的運動を説く宗教では、死んでしまえばそれ切りになる。天国へ行ってからもともより個人的精神上の進展はあるが、此土との連絡はなくなる。それは、ただ神を通して行われるにとどまる。これに反して、仏教の浄土は絶えず此土と非連続的に接触している。浄土へ行ききりの仏教徒はない、いずれも浄土着は即ち浄土発である。浄土は寸時も停留すべきステーションではないのである」(『浄土系思想論』)

キリスト教は、天国へ行ってそれで終わりだといいます。それ以上のことはなにもいわれていません。これに対して、仏教は「〈浄土着〉とは〈浄土発〉のことである」としています。「行ったらすぐ戻ってくるのだ」というのです。

在家仏教の協会を設立された加藤弁三郎さんが、大拙先生にインタビューをしたときの一節です。

「極楽というところは久しくとどまるべきではない。とどまってもしょうのないところだ。ありがたいかしらんけれども、ありがたいだけでは何のためにもなりゃしない。ただ自己満足ということになる。それだから、どうしても極楽を見たらただちに戻ってこなければならない。還相の世界へはいらにゃならん」（加藤弁三郎『最後の法語』）

「行ったらただちに戻ってくる」というのが、大拙先生の浄土観なのです。

「一心に人々を救済するために働いているのが仏という存在であり、それが仏になるということである。だから、浄土に行ったらすぐ帰ってくるのだ」

このような大拙先生の仏教に対する眼は、実に的確であると私は思っています。

親鸞の還相思想

親鸞も、「還相（げんそう）」、あるいは「還相回向」について、『教行信証』の最初でこう述べています。

「つつしんで浄土真宗を案ずるに、二種の回向あり。一つには往相、二つには還相なり。往相の回向について、真実の教行信証あり」(『教行信証』「教巻」)

「往相」というのが、この苦しみに満ちた娑婆世界から浄土に行くことで、浄土に行って、この娑婆世界へ帰ってくることが「還相」です。真宗には、この二つが用意されていて、往相については「教」「行」「信」「証」があるとされています。

「教」とは『無量寿経』の教えで、『浄土三部経』もありますが、メインは『無量寿経』です。「行」というのは『無量寿経』の第十七願に基づいています。諸仏が阿弥陀様を讃える行であって、私たちの行ではありません。それを受けて、「信」じることが「証」となるのです。『無量寿経』巻下の冒頭に「その諸仏がたたえる名号を聞いて信心歓喜せんこと、乃至一念せん」とありました。修行もなにもいらずに、ただちに「証」になりますので、「絶対無条件にこの身このまま救われる」ということになります。還相は当然、この「証」のあとの世界ということになりますが、『教行信証』には、この還相のことが詳しくは書かれておりません。

親鸞は還相についてほとんど説明しておりませんが、『如来二種廻向文』に書かれているものを引用してみます。

「還相回向といふは、『浄土論』にいはく、〈以本願力回向故、是名出第五門〉と。これはこれ還相の回向なり。このこころは、一生補処の大願にあらはれたり」

「一生補処の大願」とは、第二十二願です。「第二十二願にこの還相について説かれている」という解釈です。

では第二十二願には、どのように書かれているのでしょうか？

「大慈大悲の誓願は、『大経』（上）にのたまはく、〈設い我れ仏を得たらんに、他方仏土の諸の菩薩衆、我が国に来生して、究竟して必ず一生補処に至らしめん。其の本願の自在の所化、衆生の為の故に、弘誓の鎧を被て徳本を積累し、一切を度脱して、諸仏の国に遊びて菩薩の行を修し、十方の諸仏如来を供養し、恒沙無量の衆生を開化し、無上正真の道を立せしめんをば除かんと。常倫に超出し、諸地の行現前し、普賢の徳を修習せん。若し爾らずば正覚を取らじ〉と。これは如来の還相回向の御ちかいなり。これは他力の還相回向なれば、自利・利他ともに行者の願楽にあらず、法蔵菩薩の誓願なり」（『如来二種廻向文』）

「設い我れ仏を得たらんに、他方仏土の諸の菩薩衆、我が国に来生して、究竟して必ず一生補処に至らしめん」が、『無量寿経』の第二十二願の主旨であり、しかし親鸞によりますと、これが還相回向の根拠であるということになります。

「この極楽浄土にきたら、必ずやみなさんを一生補処に至らせます」としていますが、一生補処というのは、弥勒の住んでいる世界、弥勒の位のことです。つまり、「仏ではなく弥勒の位に至らしめます」としているのですが、ただし、「自らから衆生を導くために一生懸命に修行をして、一切の人を無上の仏にならしめようと働き、無上正真の道に勤めるような者は除く」としています。

それ以外で浄土に行きたいという人々は、順々に仏になっていくのではなく、すぐに仏になって、普賢の徳（普賢行、大慈大悲の行）を修習できるのです。簡単にいえば、「みなさんを一生補処に至らしめて、あらゆる苦悶を超出させて、衆生のために大悲の行、利他行をさせる」ということになります。

「それができないのであれば、自分の修行が足りないということにほかならない。仏になるのは止めておこう」

これが「如来の還相回向の誓い」となります。

「これは他力の還相回向なれば、自利・利他ともに行者の願楽にあらず、法蔵菩薩の誓願なり」は、「自分が仏になって、さらに人々のために働くことは、阿弥陀様の本願において成就していく」ということで、自分の力で成就するのではなく、すべては阿弥陀様の本願によって成就するということになります。

この最後には、

「〈他力には義なきをもつて義とす〉と、大師聖人（源空）は仰せごとありき。よくよくこの選択悲願をこころえたまふべし」

とあります。

「自分が人々のために働けることすら、阿弥陀様の側からの働き、はからいによって、成就するものである。だから、自分であれこれしようとする必要は一切ない」

という世界で、実はこの第二十二願にも親鸞独自の読み方があります。

「一生補処に至らしめん」まではいいのですが、一般的には次の〈 〉で囲んだ部分が「除く」対象となっています。

「たとい、われ仏となるをえんとき、他方の仏土のもろもろの菩薩衆、わが国に来生せば、究竟して必ず一生補処に至らしめん。〈(ただし)その本願、自在に化(益)せんとするところの、衆生のためのゆえに、弘誓の鎧を被り、徳本を積累し、一切を度脱し、諸仏の国に遊んで、菩薩の行を修し、十方のもろもろの仏・如来を供養し、恒沙の無量の衆生を開化して、無上正真の道に(安)立せしめ、常倫の(菩薩)に超出して、諸地の行現前し、普賢の徳を修習せんものを除く。〉もし、しからずんば、正覚を取らじ」(岩波文庫)

菩薩にとどまって人々のために利他行に勤めようという、普賢の徳を修習しようという者は除いて、その他の浄土に行きたい、仏になりたいという人を一生補処に引きあげていこうというのが、第二十二願の本来の意味だろうと思います。

ところが親鸞は、

「阿弥陀様は本願で、我々を普賢の徳を修習させるように誓っておられる。一生補処にいたらしめ、普賢の徳を修習させるよう誓っておられるという願である」

と解釈しています。

確かに、「弥陀如来のおはからいによって、我々を利他行の主体にさせてくださる」ということはよくわかるのですが、それがなぜ還相回向になるのでしょうか？　なぜ浄土から娑婆に戻ってくる姿が、ここに描かれていると理解するのでしょうか？

還相回向に関する和讃がいくつかありますので、見てみましょう。

南無阿弥陀仏の回向の
恩徳広大不思議にて
往相回向の利益には
還相回向に回入せり
（『正像末和讃』）

往相回向の大慈より
　還相回向の大悲をう
　如来の回向なかりせば
　浄土の菩提はいかがせん
（『正像末和讃』）

安楽無量の大菩薩
　一生補処にいたるなり
　普賢の徳に帰してこそ
　穢国にかならず化するなれ
（『浄土和讃』）

最後の和讃は、第二十二願をそのまま謳っているようなところがあります。

第二十二願で一生補処にいたる。普賢の徳に帰してこそ、利他行、利他のはたらきを体現して、浄土から穢国に、娑婆世界へと戻ってきて、必ず他者を化していく。

親鸞が作った和讃の解説として、親鸞自身が付された「左訓」というものがあります。その左訓には、次のようにあるのです。

「普賢の徳：われら衆生、極楽にまゐりなば、大慈大悲をおこして十方に至りて衆生を利益するなり。仏の至極の慈悲を普賢ともうすなり」（『浄土和讃』異本左訓）

つまり、菩薩の利他行ではなくて、「仏の慈悲が普賢行だ」としています。では、一生補処と仏の慈悲とには、どのような関係があるのでしょうか？

言い換えれば、「妙覚の手前の等覚」と「仏の慈悲」とは、どのような関係になるのでしょうか？

このことについて、浄土真宗では非常に巧妙な解釈をしています。次の和讃が、同じような主張を伝えているように思います。

安楽浄土にいたるひと
五濁（ごじょく）悪世にかへりては
釈迦牟尼仏のごとくにて
利益衆生はきはもなし

(『浄土和讃』)

(往生即成仏であれば、浄土から帰ってくるときには仏として帰ってくる。それが姿・形を変えて帰ってくる)

ということですが、それが、「仏の至極の慈悲」であり、ここでいわれる「普賢の徳」の意味となるのでしょう。

さらに『唯信鈔文意』では、次のように書かれています。

「また『来』はかへるといふ、かへるといふは、願海に入りぬるによりてかならず大涅槃にいたるを法性のみやこへかへると申すなり。法性のみやことといふは、法身と申す如来のさとりを自然にひらくときを、みやこへかへるといふなり。これを真如実相を証すとも申す、無為法身ともいふ、滅度に至るともいふ、法性の常楽を証すとも申すなり。このさとりをうれば、すなはち大慈大悲きはまりて生死海にかへり入りてよろづの有情をたすくるを普賢の徳に帰せしむと申す。この利益におもむくを〈来〉といふ、これを法性のみやこへかへると申すなり」

「来」とか「かへる」とか、言葉が入り混じっていますが、つまりは、

(信心決定して仏様の本願の力によって法性して即成仏する。そこで無為法身を体得する。すると大慈大悲がきわまって、生死海に帰り、よろづの有情をたすくる。これが普賢の徳に帰せしむということなのだ)

といういうことです。

実は、すでに第十一願で仏になることを伝えています。

「たとひ、われ仏を得たらんに、国中（こくちゅう）の人・天、定聚に住し、必ず滅度に至らずは、正覚を取らじ」（『無量寿経』第十一願）

「必ず滅度に至らずは云々」は、「必ず仏にさせる」ということです。ここですでに仏になっているのですから、そのあとの第二十二願での「一生補処に至らしめ」るのは、「仏となったのちのこと」になります。二十二願では、「仏となったのちに、もう一度菩薩にかえらせて、普賢の徳を修する」ということになり、「仏になったあとに、さらにもう一度、娑婆で苦しんでいる人々のために働いていく」と理解しているのが浄土真宗です。

「仏の世界からまた菩薩の身、修行の時代に戻ってくるので、還相廻向なのだ」

ということで、これは果から因に、結果から原因に向かう「従果向因」の一生補処という考え方なのです。親鸞は、

「仏になったらただちに、大慈大悲に窮まって、地獄・餓鬼・畜生、苦しんでいる人々のためにまた働いていく。その際、因位の姿をとって因に戻って、そして働いていく。それを実現していくのが、阿弥陀様の本願であり、命の根源の願いである」

としています。

自信教人信から諸活動へ

親鸞の教学によれば、この世で信成就したものは、「弥勒便同」とも、「如来等同」ともいわれ、少なくとも「金剛心（成仏の一歩手前）」「等覚」の位にのぼっているといわれています。とても高い位の菩薩ということになりますが、それならば、「等覚」の位に上っている者は、他者や周りの人々に対して、どのような活動をしていくということになるのでしょうか？あくまでも死んで浄土に行かなければ、利他行（他者に関わっていく行）を起こすことはできないのでしょうか？　それとも、信心決定すれば、その時点から「他者のために関わっていく」という働きが、自ずから出てくるのでしょうか？

大拙先生は、「浄土に行ったらすぐ帰ってくるのだ」といっていましたが、これは死後のことではないと思います。

阿弥陀様は、「一心にこの私を救って、一心に他者をも救っている」わけです。そのことを自覚したときに、「まだ気づかずに苦しんでいる人々」のために、できる範囲で行っていくことが自ずから出てくるのではないでしょうか。

ところが浄土真宗では、そのようなことをなかなか問題にしません。非常に興味深い議論が、浄土真宗本願寺派の宗議会等でも行われているようです。『中外日報』という宗教関係の業界新聞（平成三十年三月一六日付）で、浄土真宗本願寺派である議論がなされていることを伝えています。

宗議会で、「平和のための貯金箱」が設定されることになりました。そこで執行部から、「この貯金箱の名称を『世界平和のためのお布施箱』という名称にしましょう」という提案がなされました。これに対して寺院さんのほうから、「布施という文言は大切な言葉なので、安易に用いるべきではない。浄土真宗の布施は、阿弥陀如来に対する布施以外にはないのだ」という強い反発があったそうです。「布施」という言葉には、「自力的な匂いがする」ということなのでしょう。

「信心の社会性」ということも議論されたそうですが、「信心とは、個人の問題であって、それに社会性を求めるのはおかしい」といった議論もなされています。

「自力」ということを問題にしていくのは、宗教的には非常に深いものがあると思います。しかし、

「信心が決定すればこそ、なにかしら他者に対する関わりも、おのずから出てくる」

と私は思うのですが、そのあたりのことはあまり語られていません。

ところが親鸞ご自身は、「還相」ということをいわれています。

私たちは、「報土に往く身である」ということを理解したとき、「すべては死んだ後、往生した後のこと」ということでいいのかどうか、考えるべきではないかと思います。

『無量寿経』巻下冒頭の一念の語についての『教行信証』の解説の箇所には、「浄土に往生する前のこの世でも、十の利益をいただける」という話がありましたが、そのなかで「常行大悲の益がある」とされていました。

このことについて考えることで、「信心というものが浄土真宗の救いから、社会的活動へと広がっていく道が開けてくる」のではないかと思っております。

【著者プロフィール】

ケネス田中

カリフォルニア大学人文科学研究科博士課程卒。哲学博士。カリフォルニア大学助手、仏教大学院大学専任准教授を経て武蔵野大学教授に。現在は武蔵野大学名誉教授。仏教学、浄土教、アメリカ仏教を専門とする。アメリカ仏教の日本での第一人者。武蔵野大学仏教文化研究所前所長。国際真宗学会前会長。日本仏教心理学会会長。

下田正弘

1989年、東京大学大学院人文科学研究科印度哲学専門分野単位取得退学。1993年、博士(文学、東京大学)。この間、デリー大学(インド)大学院留学。1944年、東京大学文学部助教授、2006年から大学院人文社会系研究科教授、現在に至る。この間、ロンドン大学(SOAS)、ウィーン大学(オーストラリア)にて客員教授を務める。1994年より、大蔵経テキストデータベース研究会(SAT)代表として大蔵経のデータベース化を推進。

丘山 新

1948年東京生まれ。京都大学理学部卒業、東京大学大学院人文科学研究科修了。中国政府給付留学生として北京大学留学。東京大学東洋文化研究所教授などを経て、現在、浄土真宗本願寺派総合研究所所長。その間、ドイツ、ミュンヘン大学東アジア研究所客員研究員など。

末木文美士

1949年山梨県甲府市生まれ。東京大学大学院博士課程単位取得退学。博士(文学)。東京大学名誉教授、国際日本文化センター名誉教授。著書に『浄土思想論』(春秋社、2013)、『親鸞』研究(ミネルヴァ書房、2016)など多数。

竹村牧男

1948年東京生まれ。1971年、東京大学文学部卒業。1975年、東京大学大学院印度哲学博士課程中退後、文化庁宗務課専門職員、三重大学助教授、筑波大学助教授、同教授を経て、2002年、東洋大学文学部教授となる。2009年、東洋大学学長。2020年3月、同学長を退任。筑波大学および東洋大学名誉教授。研究分野:仏教学・宗教哲学。唯識思想研究で、博士(文学)〔東京大学〕。著作に、『入門　哲学としての仏教』(講談社現代新書)、『日本仏教　思想のあゆみ』『親鸞と一遍』(講談社学術文庫)など多数。

親鸞と私

発行日 2020 年 10 月 20 日　初版 1 刷

編著者　ケネス田中
発　行　武蔵野大学出版会
〒202-8585 東京都西東京市新町 1-1-20
武蔵野大学構内
Tel. 042-468-3003　Fax. 042-468-3004

装丁・本文デザイン　三枝未央
編集協力　株式会社ウェルテ
編集　斎藤 晃（武蔵野大学出版会）
印刷　株式会社ルナテック

ISBN 978-4-903281-48-3

武蔵野大学出版会ホームページ
http://mubs.jp/syuppan/